논·술·세·계·대·표·문·학

3

마지막 잎새

O.헨리 | 이동진 엮음

붉은 추장의 몸값 · 경찰관과 찬송가 · 마녀의 빵
물레방아가 있는 교회 · 개심 이후 · 크리스마스 선물 외

H 훈민출판사

담쟁이 덩굴 – 〈마지막 잎새
나오는 중요한 소재이다.

The Best World Literature

초기에 나온 〈마지막 잎새〉의 삽화

오 헨리 작품의 주요 배경이 되는 미국 뉴욕의 거리

메디슨 강에 비친 뉴욕의 전경

서민들이 사는 뉴욕의 뒷길

한가롭게 쉬고 있는 뉴욕 시민들

당시에 나왔던 오 헨리의
단편집

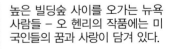

높은 빌딩숲 사이를 오가는 뉴욕
사람들 – 오 헨리의 작품에는 미
국인들의 꿈과 사랑이 담겨 있다.

미국 시애틀의 아름다운 경관

The Best World Literature

뉴욕의 록펠러 센터

뉴욕에 있는 유엔 본부

기
획
·
감
수

구인환(丘仁煥)

서울대학교 사범대학 졸업. 동 대학원 졸업(문학박사)
서울대학교 명예교수, 소설가(현). 서울대학교 사범대학 국어교육연구소 소장(현)
문학과문학교육연구소 소장(현). 국제펜 한국본부 부회장(현)
한국소설문학상(1987). 예술문화대상(1994). 한국문학상(2000)
작품 〈숨쉬는 영정〉, 〈살아 있는 날들〉, 〈일어서는 산〉 외 다수

• 저서 《한국단편소설의 이해》, 《한국현대소설의 비평적 성찰》,
　　　《고교생이 알아야 할 소설》, 《고교생이 알아야 할 세계단편소설》 외 다수

윤병로(尹柄魯)

성균관대학교 국어국문학과 졸업. 동 대학원 졸업(문학박사)
성균관대학교 교수, 문학평론가(현). 한국현대소설학회장(현)
한국문예학술저작권협회 이사(현). 한국간행물윤리위원회 위원(현)
한국펜 문학상(1987). 한국문학상(1988). 대한민국문학상(1989)
수필집 《나의 작은 애인들》 외 다수

• 저서 《현대 작가론》, 《한국 현대 소설의 탐구》,
　　　《한국 근대 작가 작품 연구》, 《한국 현대 작가의 문제작 평설》 외 다수

홍성암(洪性岩)

고려대학교 국어국문학과 졸업. 한양대학교 대학원 국어국문학과 졸업(문학박사)
동덕여자대학교 교수, 소설가(현). 한국문인협회 회원(현)
한국소설가협회 이사(현). 국제펜 한국본부 소설분과 이사(현). 한민족 문화학회 회장(현)
창작집 《큰 물로 가는 큰 고기》, 《어떤 귀향》 외
대하역사소설 《남한산성》 (전9권) 외 다수

• 저서 《문학의 이해》, 《현대 작가론》, 《한국 근대 역사소설 연구》 외 다수

뉴욕의 센트럴파크

논술 세계대표문학을 펴내며

    21세기의 사회는 '**전자 문명 시대**'라 일컬어질 만큼 오늘날 전자 산업은 우리 생활의 거의 모든 분야에 다양하게 응용되고 있습니다. 출판 분야 또한 예외는 아니어서, 종래의 서책(Book) 대신에 이른바 '전자책(CD-ROM)'의 출간이 최근 들어 날로 증가하고 있습니다.

    그러나 이러한 전자책은 영상 또는 모니터상으로 흥미 위주나 백과사전식 지식을 습득하는 데는 효과적일지 모르지만, 문학 공부를 위해서는 별로 도움이 되지 않습니다. 바꾸어 말하면, 문학 공부는 각 지면마다 살아 숨쉬는 표현 하나하나를 독자 자신의 머리로 음미하면서 작품을 읽어 나가는 가운데, 풍부한 상상력의 배양과 함께 작가의 의도와 그 작품의 내면을 깊이 있게 이해함으로써 이루어지는 것입니다.

    이에 훈민출판사에서는, 자라나는 학생들이 범람하는 영상 매체에 길들여지기 전에, 어려서부터 유명한 세계문학 작품들을 책자를 통하여 감명 깊게 읽고 감상함으로써, 올바른 문학 공부의 기틀을 다지고, 아울러 전인 교육도 할 수 있도록 《논술 세계대표문학(전60권)》을 펴내게 되었습니다.

    작품 선정은, 초·중·고등학교 국어 교과서와 역사 교과서에 실리거나 소개된 문학 작품을 중심으로 하되, 그리스 신화와 성경 이야기 등의 고전에서부터 중세·근대·현대에 이르기까지 세르반테스·셰익스피어·톨스토이 등 세계 유명 작가들의 장·단편 소설들을 엄선·수록하였습니다. 또 세계의 명시도 별권으로 엮었으며, 특히 각 단락마다 '**논술 문제**'를 제시하여, 장차 대학입시를 비롯한 각종 '논술 고사'에 예비 지식을 쌓을 수 있도록 배려하였습니다. 아무쪼록, 이 《논술 세계대표문학(전60권)》이 자라나는 학생들에게 문학 공부의 주춧돌이 되고, 나아가 미래를 살아가는 데 **정신적 자양분**이 되기를 진심으로 바라 마지않습니다.

훈민출판사

차례

마지막 잎새

붉은 추장의 몸값/ 경찰관과 찬송가/ 마녀의 빵/
물레방아가 있는 교회/ 봄철에 생긴 일/ 개심 이후/
크리스마스 선물/ 20년 후/ 물질의 힘과 사랑의 신/
로터스의 손님들/ 영혼의 등불/ 녹색의 문/ 차가 기다리는 동안/
돌아온 칼리오프/ 인생은 연극이다/ 시계추

오 헨리

지은이

1862~1910년. 미국 노스케롤라이나 주의 그린즈버러에서 출생. 본명은 윌리엄 시드니 포터이고 오 헨리는 필명이다. 제대로 된 교육을 받지 못한 그는 여러 가지 일을 하다가 뒤늦게 글을 쓰기 시작하였다.

그는 16권에 달하는 단편 소설을 썼는데, 주요 작품으로는 〈마지막 잎새〉, 〈경찰관과 찬송가〉, 〈크리스마스 선물〉, 〈가구 딸린 방〉, 〈장식 램프〉 등이 있다. 인간의 약함에 대한 동정과 풍자, 유머와 감동으로 독자들의 많은 사랑을 받았다.

붉은 추장의 몸값

솔직한 얘기라고 생각해. 그렇지만 기다려 봐. 이제부터 얘기를 할 테니까. 우리가, 곧 나와 빌 드리스콜이 이 유괴 사건을 생각해 낸 것은 남부 앨라배마에 갔을 때지. 나중에 빌이 말한 것처럼, 그야말로 '귀신에 홀린' 짓이었어. 그 사실을 깨달았을 때는 벌써 늦었지만.

앨라배마에는 이름만은 어울리지 않게 '정상'인, 빈대떡처럼 납작한 마을 하나가 있었다. 주민들은 모두 농사꾼인데, 5월제의 파티에서 흔히 볼 수 있는 너그러운 표정을 한 사람들이 대부분이었다.

우리는 둘이 합해서 6백 달러 정도의 돈을 가지고 있었는데, 서부 일리노이 근처에서 사기 부동산이라도 하려면 그것말고도 2천 달러는 더 있어야 했다. 빌과 나는 여관 현관 앞 계단에 앉아서 머리를 맞대고 궁리를 했다. 이런 한가롭고 조용한 마을에선 아이들을 유난히 귀하게 여길 것 같다는 말이 나오고, 그러니까(물론 다른 이유도 있었지만) 어린아이를 하나 유괴해 보는 게 어떨까 생각하게 된 것이다. 이 정도 마을이라면 신문사에서도 기자를 보내 사건에 대해 꼬치꼬치 캐려고 하지는 않을 테니까, 분명히 잘될 것 같았다. 기껏해야 순경이나 어리숙한 경찰견이 쫓아오거나, 그렇지 않으면 주간지 《농업》에 한두 차례 실릴 뿐이므로 제법 수지가 맞을 것이라고 생각했다.

우리가 점찍은 것은 서미트 마을의 유지인 애브니저 도시트의 외아들이었다. 애브니저 도시트는 꽤 재산이 있는 편인데도 몹시 인색하고, 게다가 고리 대금업까지 하고 있었다. 교회에도 전혀 기부금을 내지 않고, 저당잡힌 물건은 기일이 넘어가면 인정사정 보지 않고 처분해 버리는 사람이었다.

그의 아들은 나이가 열 살인데, 엷은 주근깨가 가득한 얼굴에 머리털은 기차를 기다리며 매점에서 사는 잡지 표지 같은 붉은 빛깔이었다. 도시트 정도 재력을 가진 사람이라면 틀림없이 2천 달러쯤은 낼 것이라고 빌과 나는 생각했다. 기다리라니까. 이제 얘기한다고.

서미트에서 2마일 가량 떨어진 곳에 나무가 울창한 나지막한 언덕이 있다. 그 언덕 뒤편 약간 높은 곳에 동굴이 있었는데, 우리는 거기에 식량을 비축했다.

어느 날 해가 진 후에 빌과 나는 한 필의 말이 끄는 마차를 몰고 도시트 영감의 집 앞으로 지나갔다. 마침 그 아들이 밖에 나와 맞은편 담 위의 새끼고양이에게 돌팔매질을 하고 있었다.

"애야! 사탕 사 줄 테니까, 이 마차로 올라와."

빌이 말을 걸었다.

꼬마는 대답 대신 벽돌 조각을 던져 빌의 눈 언저리를 맞혔다.

"이 피해 보상으로 5백 달러는 더 받아야겠군."

수레바퀴에 발을 올리고 마차에 오르며 빌이 말했다.

꼬마는 웰터급 검은 곰처럼 날뛰었다. 그러나 우리는 결국 그 애를 마차 뒤에 처넣고 달렸다.

동굴에 도착하자, 나는 삼나무 숲 속에 말을 매놓았다. 그리고 완전히 어두워진 후에 3마일 떨어진 작은 마을로 가서 마차를 돌려주고, 올 때는 걸어서 왔다.

빌은 얼굴의 손톱자국과 얻어맞은 상처에 반창고를 붙이고 있었다.

동굴 입구 큰 바위 뒤에는 모닥불이 피워져 있고, 붉은 머리에 매의 깃을 두 개 꽂은 꼬마는 김을 내며 끓고 있는 커피 포트를 말없이 들여다보고 있었다. 내가 다가가자, 꼬마는 막대기를 들이대며 소리쳤다.

"이 천벌을 받을 백인놈! 이름만 들으면 우는 아이도 울음을 그치는 대평원의 붉은 추장 진지에 인사도 없이 들어오느냐?"

"이 녀석, 완전히 기운을 차렸어. 지금 인디언 놀이의 상대가 되어 주고 있는 중이야. 이 놀이에 비하면, 버펄로 빌의 연극도 마을 공회당에서 환등기로 돌리는 팔레스타인 풍경만도 못할 거야. 내 역할은 덫을 놓아 새나 짐승을 잡는 사냥꾼 올드 헝크지. 그런데 붉은 추장에게 사로잡혀 내일 새벽엔 머리 껍질이 벗겨질 운명이라는군! 너도 이 녀석한테 정강이를 한번 차여 봐. 정말 죽을 맛이라고."

빌이 정강이의 멍든 흔적을 들여다보며 말했다.

꼬마 녀석은 아주 신이 나 있는 것 같았다. 동굴에서의 야영이 재미있어서 자신이 유괴되었다는 사실을 까맣게 잊고 있었다. 녀석은 내게 스파이 '뱀눈'이라는 이름을 지어 주었다. 그리고 부하들이 싸움을 끝내고 돌아오면, 내일 아침 동이 틀 때 나를 화형시키겠다고 선언했다.

곧이어 우리는 저녁 식사를 시작했다. 녀석은 베이컨에 빵에 고깃국물까지 입이 미어져라 넣으면서 수다를 떨었다.

식사하는 동안 꼬마가 한 얘기는 대강 다음과 같은 내용이었다.

"난 이런 일이 아주 마음에 들어. 한번도 야영해 본 적이 없거든. 그렇지만 들쥐를 잡아서 길러 본 일은 있어. 얼마 전에 생일이 지났으니까, 난 이제 아홉 살이야. 내가 제일 싫어하는 일은 학교에 가는 거야. 내 들쥐 지미가 버트 아줌마의 달걀을 여섯 개나 훔쳐 먹었어. 여긴 진짜 인디언이 있어? 우리 집에 강아지가 몇 마리 있는지 알아? 다섯 마리야. 헝크, 그런데 네 코는 왜 그렇게 붉지? 우리 아버지는 돈이 많아. 별은 뜨거운가? 토요일에는 에드위크를 두 차례나 혼내줬지. 계집애들은 지겨워. 노끈 없이 두꺼비를 잡을 수 있어? 황소도 우나? 왜 오렌지는 둥그렇지? 여기엔 침대가 있나? 에이머스 메어리의 발자국은 여섯 개나 돼. 원숭이나 물고기는 앵무새처럼 말을 할 줄 모르는 모양이지? 12가 되려면 얼마에 얼마를 보태야 하지?"

꼬마는 2, 3분에 한 번 정도 자신이 용감한 인디언이라는 데 생각이 미치는 듯, 막대기총을 집어들고 동굴 입구로 가서 천벌을 받을 백인놈의 척후는 없나 살펴보았다. 그리고 때때로 인디언 같은 소리를 질러 사냥꾼 올드 헝크를 두려움에 떨게 했다. 녀석은 빌의 혼을 완전히 빼 놓았던 것이다.

"붉은 추장, 집에 돌아가고 싶은 생각 없니?"

내가 꼬마에게 물었다.

꼬마는 고개를 저었다.

"뭐, 어째서? 그런 생각 없어. 학교 가는 게 지겨워. 난 이렇게 야영하고 있는 게 훨씬 좋아. 뱀눈, 날 집에 데려다 주진 않겠지?"

"물론 지금은 데려다 주지 않을 거야. 여기 좀더 있어야 해."

"야, 신난다! 정말 이렇게 재미있긴 처음이야."

꼬마가 소리쳤다.

열한 시쯤 우리는 잠자리에 들었다. 폭넓은 담요와 홑이불을 몇 장 깔고 붉은 추장을 가운데 누이고 잤다. 녀석이 달아나지 않을까 걱정할 필요는 없었다. 꼬마는 우리를 세 시간도 자게 내버려 두지 않았다. 자다가 말고 벌떡 일어나 막대기총을 빌과 나의 귓전에 대고 소리쳤다.

"꼼짝 마라!"

나뭇가지 부러지는 소리, 나뭇잎 바스락거리는 소리에도 어린애다운 공상에 자극을 받은 꼬마는 무법자의 무리가 습격해 왔다고 생각하는 것이었다. 그런 소동을 겪은 다음 가까스로 잠이 들었는데, 이번에는 붉은 머리의 무서운 해적에게 사로잡혀 나무에 꽁꽁 묶이는 꿈을 꾸었다.

날이 샐 무렵이었다. 나는 날카로운 빌의 비명 소리에 놀라 잠을 깼다. 아니, 그것은 비명 소리도, 고함 소리도, 짖는 소리도 아니었다. 아무튼 남자의 목에서 나온 것이라고는 생각할 수 없는 소리였다.──말하자면 귀신이나 송충이 같은 것을 본 여자들이 지르는 듣기 거북하고, 잔뜩 겁에 질린 비명 소리 비슷한 것이었다.

채 날이 밝기도 전에 거칠고 겁을 모르는 뚱뚱한 사나이가 동굴이 울리도록 계속 질러 대는 비명 소리를 듣는 것처럼 기분 나쁜 일도 흔치 않을 것이다.

나는 깜짝 놀라 벌떡 일어나 앉았다. 붉은 추장이 빌의 가슴을 타고 앉아 한쪽 손에는 그의 머리칼을 움켜쥐고 다른 한 손에는 베이컨을 자를 때 쓰는 날카로운 칼을 쥐고 있었다. 자기 전에 선언한 대로 빌의 머리 가죽을 벗기려 하고 있었던 것이다.

나는 재빨리 꼬마의 손에서 칼을 뺏고 다시 자리에 뉘었다. 그러나 빌은 그 후로 완전히 맥이 풀려 버렸다. 다시 자리에 눕기는 했으나, 붉은 추장이 곁에 있는 한 결코 눈을 감으려 하지 않았다.

나는 깜빡 잠이 들었다. 그런데 해가 뜰 무렵 지난 밤 붉은 추장이 동이 틀 때 나를 화형시키겠다고 한 말이 문득 생각났다. 두렵거나 겁이 나서 그런 것은 아니지만, 아무튼 나는 일어나서 파이프를 입에 문 채 바위에 앉았다.

"샘, 뭣 때문에 그렇게 일찍 일어났지?"

빌이 물었다.

"응, 왠지 어깨가 뻐근해서. 일어나 앉아 있으면 나을까 하고."

내가 말했다.

"거짓말 마! 무서워서 그러지? 동이 틀 때 화형시키겠다고 했으니, 정말 당할 것 같아서 겁나는 거지? 저 녀석, 성냥만 있으면 그렇게 하고도 남을 거야. 아무래도 걱정이야, 샘. 저런 녀석을 데려가고 돈을 내는 애비가 있을까?"

빌이 말했다.

"물론 있지. 부모에겐 저런 개구쟁이가 더 귀여운 법이야. 자, 어서 추장을 깨워 가지고 아침 식사 준비나 해. 나는 그 동안 언덕 꼭대기에 올라가서 살펴보고 올게."

그리고 나는 언덕 위로 올라가 시선이 미치는 데까지 주위를 둘러보았다. 내 생각에는 서미트 마을 쪽에서 낫, 갈퀴 따위로 무장한 건장한 농민들이 못된 유괴범을 잡기 위해 그 일대를 이 잡듯이 뒤지고 있는 광경을 볼 수 있을 것 같았다.

그러나 보이는 것이라곤 한 남자가 진한 밤색 털을 가진 노새로 밭을 가는 한가로운 모습뿐이었다. 냇물 바닥을 훑어보는 사람도 없고, 큰 슬픔에 잠긴 부모에게 아무 단서도 찾지 못했다고 전갈을 하기 위해 달려가는 심부름꾼도 눈에 띄지 않았다. 내 시야에 들어오는 앨라배마의 풍경은 한가로움과 함께 눈이 스르르 감기는 졸음이 번져 있을 따름이었다. 나는 생각했다.

'아무래도 귀여운 새끼양이 이리 떼에게 붙잡혀 간 걸 아직 모르고 있는 모양이다. 하느님, 이리들에게 은총을 베푸소서.'

그리고 나는 아침 식사를 하러 언덕에서 내려왔다.

동굴에 들어가 보니, 빌은 동굴 벽에 바싹 밀어붙여진 채 거친 숨을 몰아쉬고 있었다. 붉은 추장은 야자 열매의 반 정도는 될 듯한 큰 돌멩이를 빌에게 던지려 하고 있었다.

"이놈이 뜨겁게 익은 감자를 내 등에다 쑤셔 넣었어. 그것도 모자라

발로 으깼단 말이야. 그래서 내가 뺨을 한 대 후려쳤어. 샘, 너 총 가졌지?"

빌이 말했다.

나는 녀석의 손에서 돌멩이를 빼앗고 가까스로 사태를 수습했다.

"두고 보라고! 붉은 추장에게 손을 댄 놈은 반드시 복수를 당할 테니 두고 보라니까!"

꼬마가 빌을 향해 소리쳤다.

아침 식사 후, 꼬마는 주머니에서 노끈으로 묶은 가죽 조각을 꺼냈다. 그리고 그 노끈을 풀면서 동굴 밖으로 나갔다.

"또 무슨 짓을 하려는 거지? 저 녀석, 설마 도망치진 않겠지? 그렇지, 샘?"

빌이 걱정스러운 표정으로 말했다.

"걱정 마. 집에 가고 싶어하는 것 같진 않으니까. 그보다 몸값을 받아 내야겠는데, 서미트 마을은 평소와 다름없이 조용하단 말이야. 암만 해도 꼬마가 없어진 걸 아직 모르는 것 같아. 집에서는 꼬마가 간밤에 제인 아주머니 집이나 이웃집에서 잤으려니 생각하며 안심하고 있나 봐. 오늘 안으로야 유괴된 걸 알게 되겠지. 꼬마를 찾고 싶으면 2천 달러를 준비하라고 오늘 밤 도시트 영감에게 편지를 써야겠어."

그 때였다. 다윗이 거인 골리앗을 쓰러뜨릴 때 질렀을 듯싶은 고함소리가 들렸다. 붉은 추장이 조금 전 주머니에서 꺼낸 것은 돌팔매질에 쓰는 도구였다. 녀석은 그것을 머리 위에서 빙빙 돌리고 있었다.

나는 얼른 몸을 피했다. 그런데 옆에서 '쿵!' 하는 둔탁한 소리와 함께 안장을 벗길 때 말이 내는 것과 비슷한 한숨 소리가 들렸다. 큰 달걀만한 검은 돌이 빌의 왼쪽 귀 뒤를 맞혔던 것이다. 기절한 빌은 접시 닦을 물을 끓이고 있던 프라이팬 옆에 쓰러졌다. 급히 빌을 옮겨 누이고

30분 동안이나 찬물을 끼얹었다.

　이윽고 눈을 뜬 빌은 귀 뒤를 만지면서 말했다.

　"샘, 성경에서 내가 가장 좋아하는 사람이 누군지 알아맞혀 봐."

　"자, 자, 진정하라고. 이제 곧 정신이 맑아질 테니까."

　내가 말했다.

　"헤롯 왕이야. 샘, 설마 나를 여기 남겨 두고 혼자 가진 않겠지?"

　빌이 애원했다.

　나는 붉은 추장을 밖으로 끌고 나가 주근깨가 딱딱 소리가 나도록 때려 주었다.

　"얌전하게 굴지 않으면 지금 곧 집에 데려다 줄 테다. 어쩔 거냐?"

　나는 위협조로 말했다.

　"장난으로 그런 건데. 올드 헝크를 해칠 마음은 아니었어. 그런데 그놈은 왜 나를 때렸지? 뱀눈, 집에 데려다 준다는 말만 안하면 얌전하게 있을게. 블랙 스카우트 놀이를 시켜 주면 더 얌전히 있을 텐데."

　붉은 추장은 시무룩한 표정으로 말했다.

　"난 놀이 같은 건 몰라. 빌 아저씨하고 같이 해. 나는 볼 일이 있어서 나가 봐야 하니까. 오늘은 그 아저씨하고 화해해라. '돌을 던져서 죄송합니다.' 하고 사과해. 그렇지 않으면 지금 집에 데려다 줄 거야."

　붉은 추장과 빌을 악수시킨 후, 나는 빌을 구석으로 데리고 갔다.

　"여기서 5킬로미터쯤 떨어진 포플러 글러브라는 작은 마을에 가서, 서미트에서 유괴 사건이 어떤 반응을 일으키고 있는지 가능한 한 자세히 알아보고 올게."

　그리고 나는 오늘 안으로 도시트 영감에게 몸값을 요구하고 그 지불 방법을 지시한 편지를 보내는 게 좋을 것이라고 생각했다.

　"저기 말야, 샘. 나 지금까지 지진, 화재, 홍수, 도박, 다이너마이트

폭발, 경찰 수사, 열차 강도, 태풍 등 무슨 일이든 두려워하지 않고 너와 함께 일해 왔어. 저 두 발 가진 꽃불 같은 꼬마 녀석을 유괴해 올 때까지 난 세상에서 두려운 것이 없었어. 하지만 저 꼬마한테는 두 손 들었어. 그러니까 샘, 저 녀석과 나를 너무 오래 함께 있지 않도록 해 줘."

빌이 말했다.

"점심때가 조금 지나면 돌아올게. 그 때까지 저 녀석과 놀아 주며 얌전히 있게 해. 도시트 영감에게 보낼 편지를 써 가지고 나가야겠어."

빌과 나는 종이와 연필을 꺼내 편지를 쓰기 시작했다.

우리가 편지를 쓰는 동안 붉은 추장은 담요를 몸에 두른 채 동굴 입구에서 오락가락하며 보초 역할을 했다. 그런데 빌은 붉은 추장의 몸값을 5백 달러 내려서 1천5백 달러로 하자고 애원했다.

"자식에 대한 부모의 사랑이라는 그 일반적인 감정을 깎아 내릴 생각은 없어. 하지만 상대는 사람이야. 저런 주근깨투성이의 들고양이 같은 20킬로그램 살덩어리의 대가로 2천 달러를 요구한다는 건 암만 생각해도 무리야. 그러니 1천5백 달러로 하자고. 그 차액 5백 달러는 내 몫에서 떼어도 좋아!"

빌이 말했다.

결국 나는 빌을 진정시키기 위해 그 부탁을 들어주기로 했다. 그리고 우리는 다음과 같은 편지를 썼다.

애브니저 도시트 씨

당신의 아들은 우리가 서미트에서 멀리 떨어진 곳에 인질로 잡아 두었소. 당신이, 혹은 날고 뛴다는 탐정이 아이를 찾으려고 노력해 봐야 아무 소용이 없을 거요.

아들을 되찾는 데는 단 한 가지 방법밖에 없소. 우리는 당신 아들을 무사히 돌려보내는 대가로 1천5백 달러를 받고 싶소. 단, 고액권을 원하오. 이 돈은 오늘 밤 당신의 회답과 같은 지점, 같은 상자에 넣어야 하오.

이 제의를 받아들인다면, 오늘 밤 8시 회답을 적어 한 심부름꾼을 시켜 아래의 장소로 배달하도록 하시오. 포플러 글러브 마을로 가는 길 오른쪽에 보리밭이 있는데, 그 울타리 근처에 약 2백 미터 간격으로 큰 나무 세 그루가 서 있소. 그 세 번째 나무 건너편 울타리 말뚝 밑에 작은 마분지 상자가 놓여 있을 거요. 그 상자에 회답을 넣고 심부름꾼은 이내 서미트로 돌아가야 하오.

만일 이상의 요구를 거절할 경우, 당신은 두 번 다시 아들의 얼굴을 보지 못할 거요.

그러나 요구한 금액을 지불할 경우에는 세 시간 안에 아들을 만날 수 있을 거요. 이 통고는 처음이자 마지막으로, 만일 이를 거절할 경우 앞으로는 일절 연락하지 않겠소.

　　　　　　　　　　　　죽음을 겁내지 않는 두 사나이가

나는 편지 봉투에 도시트의 주소를 쓴 다음 주머니에 넣었다. 동굴 밖으로 나가려 하는데 붉은 추장이 내 옆으로 다가왔다.

"뱀눈이 없는 동안 블랙 스카우트 놀이를 해도 좋다고 했지?"

"그래. 빌이 너와 함께 놀아 줄 거야. 그런데 그건 어떤 놀이지?"

내가 물었다.

"응, 그건 내가 블랙 스카우트가 되는 놀이야. 난 인디언의 습격을 알리기 위해 개척촌의 울타리까지 말을 달려가야 해. 이제 인디언 놀이는 지겨워."

붉은 추장이 말했다.

"마음대로 해. 별로 나쁘진 않겠군. 빌 아저씨가 그 거친 인디언을 물리칠 작전을 가르쳐 줄 거야."

내가 말했다.

"그럼 난 뭘 해야 하는 거냐?"

빌이 수상쩍다는 표정으로 꼬마를 쳐다보며 물었다.

"물론 말이 되는 거지. 무릎을 꿇고 말처럼 엎드려야 해. 말이 있어야 울타리까지 달려갈 수 있잖아."

블랙 스카우트가 말했다.

"우리 생각대로 계획이 성사되려면 저 녀석을 재미있게 만들어 줘야 해. 그러니까 적당히 놀아 줘."

나는 빌에게 귀엣말을 했다.

빌은 어쩔 수 없이 엎드렸다. 그의 눈은 마치 덫에 걸린 토끼의 눈 같았다.

"꼬마야, 울타리까지 거리가 얼마나 되지?"

빌이 쉰 듯한 목소리로 물었다.

"15킬로미터야. 있는 힘을 다해 달리지 않으면 늦을 거야. 어서 달려!"

빌의 등에 올라탄 블랙 스카우트는 발꿈치로 옆구리를 걷어찼다.

"샘, 제발! 되도록이면 일찍 돌아와 줘. 몸값을 천 달러 밑으로 할 걸 그랬나 봐. 임마, 그만 걷어차! 또 차면 일어나서 혼내 줄 거야."

빌이 말했다.

나는 포플러 글러브까지 걸어가서 우체통이 있는 잡화점에 들어갔다. 거기서 나는 마을의 농민들이 하는 얘기에 귀를 기울였다.

텁수룩한 수염의 한 사나이가 도시트 영감네 아들이 어찌 된 셈인지 갑자기 행방 불명되어 서미트 마을이 온통 난리라고 말했다. 그것은 바로 내가 듣고 싶었던 말이었으므로, 나는 담배를 사고 완두콩 값을 물어 본 다음 편지를 슬그머니 우체통에 집어넣고 밖으로 나왔다. 잡화점 주인은 한 시간쯤 후에 우체부가 우편물을 가지러 올 것이라고 말했다.

내가 동굴에 돌아갔을 때 빌과 꼬마는 보이지 않았다. 동굴 주위를 돌아다녀 보고, 한두 차례 위험을 무릅쓰고 '야호!' 하고 신호를 해 봤으나 대꾸가 없었다.

할 수 없이 파이프를 입에 문 채 이끼 낀 바위에 걸터앉아 일이 어떻게 될 것인가 생각에 잠겼다.

30분쯤 지났을 때, 빌이 관목 덤불을 헤치며 동굴 앞의 작은 빈터로 비틀비틀 다가왔다. 그 뒤에는 척후병처럼 발소리를 죽이면서 꼬마 녀석이 빙글거리는 웃음을 띤 채 따라오고 있었다.

이윽고 걸음을 멈춘 빌은 모자를 벗고 손수건으로 얼굴의 땀을 닦았다. 2.5미터쯤 떨어진 곳에서 꼬마도 걸음을 멈추었다.

빌이 입을 열었다.

"샘, 나를 배신자라고 욕해도 좋아. 하지만 어쩔 수가 없어. 나도 남자야. 남만큼 오기도 있어. 남에게 짓밟히고 조용히 수그러들 내가 아니란 건 너도 잘 알지? 그러나 인간에게는 때로 오기나 배짱 같은 걸 버려야 할 경우가 생기는 법이야. 녀석은 가 버렸어. 내가 돌려보낸 거지. 아무튼 모든 일이 끝났어."

빌은 말을 이었다.

"옛날 순교자 가운데 자기 몫의 특별한 이익을 포기하느니 차라리 죽는 편이 낫다고 한 자가 있었다지만, 그런 자라도 나 같은 초자연적 고통은 겪지 않았을 거야. 그야 나도 그 인질에게 되도록이면 충실하려고 애썼어. 하지만 참는 데도 한계가 있는 거야."

"대체 무슨 일을 당한 거야?"

내가 빌에게 물었다.

"난 그 울타리까지 1미터도 틀리지 않고 정확히 15킬로미터를 그 녀석을 태운 채 달려갔어. 개척촌에 인디언의 습격을 알린 다음, 블랙 스카우트는 먹이라면서 귀리를 주었어. 그런데 그 대용품이라는 게 모래니 어떻게 먹겠어? 그러고도 한 시간 동안 나는, 왜 구멍 속은 텅 비었느냐, 길은 왜 왼쪽 오른쪽으로 갈라져 있느냐, 풀은 왜 초록색이냐 하는 따위의 질문에 일일이 대답을 해 줬어. 샘, 사람으로서 그 정도 참았으면 한계에 다다랐다고 생각해. 나는 그놈의 목덜미를 거머쥐고 산에서 끌어내렸어. 그러자 그놈은 내 다리를 사정없이 걷어찼어. 그 바람에 무릎 아래쪽은 시퍼런 멍투성이고, 두세 차례나 물린 엄지손가락은 감각도 없어. 어쨌든 이제 꼬마 녀석은 없어. 제 집으로 돌아갔지. 나는 에미트 쪽으로 가는 길을 가르쳐 준 다음, 녀석의 엉덩이를 한 번 걷어차고 2.5미터쯤 쫓아 보냈어. 기대하던 몸값이 사라진 건 아깝지만, 그러지 않고는 내가 정신 병원에 가야 할 형편이니 어쩔 수 없지."

빌은 숨이 찬 듯 헐떡거렸으나, 벌겋게 상기된 그 얼굴에는 숨길 수 없는 안도감과 함께 만족감이 차츰 짙어 갔다.

"빌, 혹시 네 조상 중에 심장병이 있었던 사람은 없니?"

내가 물었다.

빌은 고개를 저었다.

"없어. 말라리아말고 병으로 죽은 사람은 없어. 그런데 그건 왜 묻지?"

"그렇다면 뒤를 한번 돌아봐."

고개를 돌린 순간, 빌은 얼굴빛이 변해 땅바닥에 털썩 주저앉았다. 그리고 손에 잡히는 대로 풀과 잔가지 같은 것을 쥐어뜯기 시작했다.

그 후 한 시간쯤 나는 혹시 빌이 정신 이상이 된 게 아닌가 걱정했다. 나는 빌에게, 만일 도시트 영감이 우리 제의에 응해 몸값을 주면 그걸 가지고 오늘 밤 안으로 달아나자고 말했다.

그제야 빌도 가까스로 정신을 차리고 꼬마에게 맥없는 미소를 던졌다. 그리고 기분이 좀 나아지면 전쟁 놀이를 하자면서, 자기가 러시아 병정이 되어 주겠다고 말했다.

나는 우리의 일에 차질이 생겨 붙들리는 사태 없이 몸값을 무난히 손에 쥘 놀라운 계획을 가지고 있었다. 그것은 전문적인 유괴범이라도 감탄할 만한 계획이었다.

도시트 영감의 회답과 함께 돈이 그 밑에 놓이게 되는 나무는 길가 울타리 옆에 서 있었는데, 그 주위는 그야말로 허허벌판이었다. 따라서 들판을 가로지르거나 거리로 질러가거나 돈을 가지러 가는 우리의 모습이 멀리서도 경찰의 눈에 띄기 쉽게 되어 있었다. 그러나 내가 그런 어리석은 짓을 할 사람인가. 나는 미리 그 나무 위에 올라가 청개구리처럼 교묘하게 몸을 숨긴 채 도시트 영감이 보낸 심부름꾼을 기다리고 있었다.

지시한 시간에 정확하게 얼핏 보기에 어른 같은 한 소년이 자전거를 타고 나타났다. 그 소년은 울타리 말뚝 밑에 있는 마분지 상자에 종이 쪽지를 던져 넣은 다음, 다시 자전거를 타고 서미트 쪽으로 사라졌다.

그로부터 한 시간쯤 지났을 때, 나는 이제는 안심해도 되겠다 싶어서 나무 밑으로 미끄러져 내려갔다. 상자 속에서 편지를 꺼낸 나는 울타리를 따라 숲으로 가서, 다시 30분쯤 걸어 동굴로 돌아갔다.

나는 편지를 펴들고 칸델라 옆으로 가서 빌에게 읽어 주었다. 알아보기 힘든 필적의 그 편지 내용을 요약하면 다음과 같다.

두려움을 모르는 두 사나이에게

내 아들을 돌려주는 대가로 몸값을 요구하는 당신들의 편지는 오늘 분명히 받았습니다. 당신들의 요구는 지나친 것으로 생각되어, 여기에 그 대안을 내놓겠습니다. 받아들여 주실 것으로 믿습니다. 만일 당신들이 조니를 데리고 내 집에 오셔서 현금 250달러를 붙여 준다면, 나도 아들을 찾는 일을 생각해 보겠습니다. 오시는 시간은 밤이 좋을 것입니다. 그 이유는, 이웃에서는 벌써 조니가 행방 불명된 것으로 믿고 있기 때문입니다. 만일 그들이 조니를 데리고 오는 사람의 모습을 발견했을 때, 그들이 무슨 짓을 할지 나로서는 예측할 수 없고, 또 책임질 수도 없습니다.

애브니저 도시트

"이런 지독한 놈! 감히 이런 제의를 하다니……."
나는 내뱉듯이 말했다.

그러나 빌을 돌아보고 나는 주저하지 않을 수 없었다. 그는 말 못하는 사람, 또는 표정이 풍부한 동물에게서 볼 수 있는, 참으로 서글픈 눈초리를 하고 있었던 것이다.

"샘, 250달러쯤 버리면 어때. 그 정도는 우리도 있잖아. 만일 저 녀석이 하루 더 있게 되면, 난 틀림없이 정신 병원에 입원하는 신세가 될 거야. 저 녀석을 찾는 데 그 정도의 요구밖에 안한 걸 보면, 도시트 영감은 꽤 너그러운 모양이야. 샘, 설마 이 기회를 놓치진 않겠지?"
빌이 말했다.

"실은 말이야, 빌. 어떻게 돼먹은 건지 알 수 없는 저 꼬마 녀석한테는 나도 질렸어. 네 말대로 몸값을 붙여 저 녀석을 되돌려주고 달아나 버리자."

그래서 우리는 그날 밤 꼬마를 집으로 데리고 갔다. 아빠가 은으로 된 장식이 달린 총과 사슴 가죽으로 만든 구두를 사놓고, 또 내일은 온 식구가 곰사냥을 가기로 했다고 속여 가까스로 데리고 갔던 것이다.

우리가 도시트 영감네 현관문을 두드린 것은 정각 열두 시였다. 애초의 계획대로라면 나무 밑에 있는 마분지 상자에서 1천5백 달러를 꺼내야 할 바로 그 시각에, 빌은 도시트 영감에게 250달러를 건네주고 있었다.

우리가 자기를 떼어 놓고 가 버리려는 것을 눈치챈 꼬마 녀석은 마치 증기 오르간처럼 소리를 지르면서 빌의 다리에 찰싹 달라붙었다. 도시트 영감은 살에 붙은 반창고라도 되는 것처럼 꼬마를 빌에게서 천천히 떼어 냈다.

"얼마 동안이나 이 녀석을 붙들어 둘 수 있죠?"

빌이 물었다.

"전과 달라서 나도 힘이 없어. 그래도 한 10분쯤이야 붙들어 둘 수 있겠지."

도시트 영감이 말했다.

"그 정도면 됐습니다. 10분 후면 중부나 남부나 중서부의 주를 지나 캐나다 국경 쪽으로 열심히 달리고 있을 테니까요."

빌이 말했다.

칠흑같이 어두운 밤이고, 또 빌은 뚱뚱해서 달리기로는 결코 나보다 낫다고 할 수 없는데도, 내가 가까스로 따라붙기 전까지는 서미트 마을에서 2.5킬로미터는 앞서 있었다.

경찰관과 찬송가

소피는 매디슨 광장에 있는 평소의 그 벤치에서 불안하게 몸을 움직이고 있었다. 기러기가 밤하늘에서 시끄럽게 울어 대고, 모피 코트가 없는 여자들이 남편에게 갑자기 상냥해지고, 소피가 공원 벤치에서 불안한 몸짓을 하면 겨울이 닥쳐왔음을 알 수 있게 되는 것이다.

소피의 무릎 위에 낙엽이 떨어졌다. 그것은 잭 프로스트(서리)의 엽서였다. 잭은 매디슨 광장의 단골들에게 매년 찾아오기 전에 으레 예고를 한다. 그는 '푸른 하늘'의 문지기인 북풍에게 네거리 모퉁이에서 엽서를 준다. 그 덕분에 주민들도 겨울을 날 준비를 하게 되는 것이다.

닥쳐올 겨울에 대비해서, 소피는 자신도 월동 대책 위원회의 위원이 되어야 할 때가 되었음을 깨달았다. 그래서 그녀는 평소의 그 벤치에서 불안하게 몸을 움직이고 있었던 것이다.

소피가 월동 대책으로 생각하고 있는 일은 별로 사치스러운 것이 아니었다. 지중해를 여행하고 싶다거나, 온몸이 녹아드는 남쪽 하늘 아래에서 지내고 싶다거나, 베수비오스 만에서 뱃놀이를 하고 싶다거나 하는 생각은 꿈에도 해 본 적이 없었다. 다만 섬(교도소)에서 석 달을 보내는 것이 그가 바라는 전부였다. 북풍이나 경관을 염려할 필요도 없고, 식사와 잠자리, 게다가 마음 맞는 친구까지 제공되는 석 달이 소피에게는 가장 바람직한 월동 대책이었다.

지난 몇 해 동안 그의 겨울 거처는 블랙웰스 섬이었다. 같은 뉴욕에 살면서도 그에 비해 운이 좋은 사람들은 겨울마다 팜비치나 리비에라 행 표를 끊었지만, 소피는 매년 섬으로 도피하기 위해 약간의 공작을 꾸몄다. 올해도 그 때가 된 것이다. 지난 밤에는 일요신문 석 장을 웃옷 밑에 깔고, 발목에 두르고, 무릎에 덮고 잤다. 그러나 그 정도로는 이 공원 분수가의 낡은 벤치에 몰아치는 추위를 피할 수가 없었다.

섬이 소피의 마음을 크게 차지하기 시작했다. 그는 자선이라는 이름으로 이 거리의 부랑자들을 위해 마련된 시설을 경멸하고 있었다. 그의 생각에는 법률이 박애보다 더 친절했다. 시나 자선 단체에서 운영하는 시설은 수없이 많았다. 원한다면 최소한의 생활을 할 수 있는 잠자리와 음식을 얻을 수도 있었다. 하지만 소피처럼 자존심이 강한 사람에게는 자선의 선물이 탐탁치 않았다.

그야 돈은 안 들지만, 자선 단체에서 베푸는 혜택을 받을 때마다 정신적 굴욕이라는 대가를 치르지 않으면 안 된다. 시저에게 브루투스가 있었던 것처럼 자선의 침대에는 반드시 모욕이라는 세금이 붙게 마련이었다. 또 빵 한 덩이를 얻어먹으려면 지극히 개인적인 일까지 털어놓아야 하는 신원 조사라는 대가를 치러야만 했다.

반면 규칙에 따라 움직여야 하지만 법률은 신사의 개인적인 일에까지 부당한 간섭을 하지는 않는다. 따라서 법률의 신세를 지는 쪽이 차라리 나은 것이다.

일단 결심을 하자, 소피는 당장 섬으로 가기 위한 공작에 착수했다. 거기에는 간단한 방법이 얼마든지 있다. 가장 신나는 방법은 고급 식당에 들어가서 가장 화려한 식사를 하는 것이다. 그런 다음, 가진 돈이 한 푼도 없다고 선언하고 그 자리에서 얌전하게 경찰관에게 인도되는 것이다. 뒷일은 친절한 판사가 다 알아서 해 준다.

벤치에서 몸을 일으킨 소피는 천천히 공원을 나가 아스팔트를 가로질러 갔다. 그 길은 브로드웨이와 5번가가 만나는 곳이다.

브로드웨이 쪽으로 꺾어 북쪽을 향해 가던 그는 화려한 음식점 앞에서 걸음을 멈추었다. 밤만 되면 번쩍거리는 옷으로 차려 입은 세련된 인간들이 몰려들어 최고급 포도주를 마시는 곳이다.

옷차림에서 조끼 맨 밑 단추 위로는 자신감이 있었다. 겉옷도 그런 대로 괜찮고, 깔끔한 검은 넥타이는 추수 감사절 날 어느 전도 부인에게서 받은 것이다. 식탁까지 의심을 받지 않고 가서 앉을 수만 있다면 성공은 보장된 셈이다. 테이블 위로 나오는 부분은 웨이터의 마음에 전혀 의혹을 일으키지 않을 것이다.

우선 물오리 통구이가 좋겠다고 소피는 생각했다. 그리고 백포도주 한 병에 카먼벨 치즈, 식후에는 블랙 커피 한 잔과 시가 한 대, 시가 값은 아마 1달러쯤 할 것이다. 다 합쳐 봐야 주인에게 호되게 당할 만큼 큰 액수도 못 되는 것 같다. 아무튼 그 물오리 고기는 그의 배를 채워 주고, 행복한 기분으로 섬에 갈 수 있게 해 줄 것이다.

그러나 소피가 식당 문을 열고 들어선 순간, 웨이터의 시선이 그의 다 해진 바지와 낡아빠진 구두 위로 갔다. 기다렸다는 듯 거칠고 재빠른 손이 방향을 돌리더니 왈칵 보도로 떠밀어 냈다. 따라서 하마터면 공짜로 먹힐 뻔했던 물오리는 그 불명예스러운 운명을 벗어났다.

소피는 브로드웨이에서 옆길로 접어들었다. 대망의 섬으로 가는 길은 식도락가와는 거리가 멀었던 것 같다.

교도소로 가는 다른 길을 찾지 않으면 안 된다. 6번가 모퉁이에 이르자, 현란한 조명과 솜씨 있게 진열된 상품으로 진열장이 유난히 화려해 보이는 상점이 보였다. 소피는 그 진열장을 향해 돌을 던졌다. 경찰관을 앞세운 채 많은 사람들이 모퉁이를 돌아 뛰어왔다. 소피는 두 손을 바

지 호주머니에 찌른 채 그대로 서 있었다. 그는 경찰관의 놋쇠 단추를 바라보며 미소를 지었다.

"이런 짓을 한 게 어떤 놈이야?"

경찰관이 흥분된 목소리로 물었다.

"제가 바로 이 일에 관계되었다면 어쩌시겠습니까?"

소피는 좀 능청스럽게, 그러나 마치 행운을 맞이하는 사람처럼 부드럽게 말했다.

경찰관은 소피의 말을 어떤 단서로 생각하지 않았다. 진열장 유리를 깬 인간이 법률의 대리자인 경찰관과 말을 나누기 위해서 현장에 남아 있지는 않을 것이다. 그런 자는 재빨리 뺑소니를 치는 법이다.

반 블록쯤 앞에서 전차를 타려고 뛰어가는 한 남자가 경찰관의 눈에 띄었다. 그는 경찰봉을 뽑아 든 채 그 남자를 쫓아갔다.

두 번이나 실패하자, 소피는 울적한 기분으로 어슬렁어슬렁 걸었다.

길 맞은편에 별로 신통치 않아 보이는 식당이 있었다. 주머니 사정은 안 좋은데 식욕이 대단한 사람에게는 적당한 식당이었다.

식기류와 분위기는 두툼하지만, 수프와 테이블보는 얇았다. 낡은 구두, 다 해진 바지 차림의 소피도 그 식당에는 아무 제지도 받지 않고 들어갈 수 있었다. 자리에 앉은 그는 비프스테이크에다 넓적한 핫케이크, 게다가 도넛과 파이까지 주문해 먹었다.

그런 다음, 웨이터를 불러 자기는 돈과는 인연이 없다는 사실을 고백했다.

"어서 경찰관을 부르시지. 신사를 기다리게 하면 안 돼."

소피가 말했다.

그러자 버터 케이크 같은 은근한 목소리에 맨해튼 칵테일 속의 버찌처럼 번들거리는 눈을 가진 웨이터가 말했다.

"너 따위에겐 경찰관이 어울리지 않아. 어이, 콘! 나 좀 도와줘!"

소피는 두 웨이터에 의해 딱딱한 도로에 내동댕이쳐졌다. 그는 마치 목수가 접는 의자를 펴는 것처럼 관절을 하나하나 펴고 일어나 옷에 묻은 먼지를 털었다. 경찰관에게 붙잡혀 가는 일이 장밋빛 꿈처럼 여겨졌다. 섬은 아직도 멀리 있었다.

두 집 건너 약국 앞에 서 있던 경찰관이 웃으면서 다른 데로 가 버렸다.

거기서 다섯 블록 정도 걸어가자, 다시 체포되기를 자청할 용기가 생겼다. 이번에는 그가 '누워서 떡 먹기'라고 제멋대로 이름 붙인 기회가 다가왔던 것이다.

깔끔하게 차려 입은 젊은 여자가 면도용 컵, 잉크 스탠드 같은 것이 놓여 있는 진열장 안을 눈을 빛내며 들여다보고 있었다. 거기서 2미터쯤 떨어진 곳에 있는 소화전에는 체격이 우람하고 인상이 험한 경찰관이 기대어 서 있었다.

야비하고 염치없는 '바람둥이' 노릇을 하자는 것이 바로 소피의 계획이었다.

고상하고 우아한 희생자와 의무에 충실한 듯한 경찰관의 모습을 번갈아 바라보며, 그는 이제 그 아늑하고 아담한 섬에서 겨울을 나는 일을 보장하는 기분 좋은 손이 자기 팔을 덥석 움켜쥘 것을 믿어 의심치 않았다.

전도 부인에게서 받은 넥타이를 매만지고, 자꾸 기어들어가는 와이셔츠 소매를 잡아당기고, 모자를 삐딱하게 멋을 부려 고쳐 쓴 다음, 소피는 젊은 여자 쪽으로 천천히 다가갔다. 윙크를 하면서 갑자기 헛기침을 하거나, 또는 빙글빙글 웃으며 뻔뻔스럽고 천한 바람둥이 특유의 연기를 거침없이 해냈다. 소피는 경찰관이 자기 쪽으로 시선을 보내고 있는 것을 곁눈질로 확인했다.

젊은 여자는 두어 걸음 물러섰다가 다시 면도용 컵을 열심히 들여다 보았다. 대담하게 그 곁으로 다가선 소피는 모자를 벗고 말했다.

"어이, 버텔리아! 우리 집에 놀러 갑시다."

경찰관은 아직도 이쪽을 바라보고 있었다.

귀찮게 된 젊은 여자가 손가락만 까딱하면, 소피는 확실히 섬의 피난 처로 갈 수 있게 된다. 벌써 아늑한 경찰서의 훈기가 느껴지는 듯했다.

그러나 젊은 여자는 소피를 돌아보더니, 한쪽 손을 내밀어 그의 옷소 매를 잡았다.

"좋아요, 마이크. 맥주나 한잔 사 준다면. 내가 먼저 말을 걸까 했지 만, 경찰관이 쳐다보고 있어서 참았지."

여자가 웃으면서 말했다.

할 수 없이 소피는 떡갈나무를 휘감은 덩굴 같은 젊은 여자와 함께 우울한 얼굴로 경찰관 앞을 지나갔다. 아무래도 섬에 갈 수 없는 운명 인 모양이었다. 다음 길모퉁이에서 그는 여자를 떼어 버리고 달아났다.

밤이 되면 가장 밝은 거리, 사랑과 맹세와 달콤한 말이 쏟아지는 곳 에서 그는 걸음을 멈추었다.

겨울의 대기 속에서 모피 코트로 휘감은 여자들과 외투를 입은 남자 들이 바삐 오가고 있었다. 소피는 문득 자신이 무서운 마술에 걸린 것 이 아닐까 하는 불안감에 사로잡혔다. 그러자 덜컥 겁이 났다. 그는 불 빛이 현란한 극장 앞을 거만하게 왔다갔다하고 있는 경찰관을 보자, 다 시 '치안 방해'라는 눈앞의 지푸라기에 매달리고 싶은 생각이 들었다.

소피는 곧 보도에서 목청껏 소리를 지르며 술주정꾼 노릇을 하기 시 작했다. 춤을 추고, 고래고래 소리를 지르고, 그 밖에 가능한 모든 방법 을 동원해 마음껏 떠들어 댔다.

경찰봉을 빙빙 돌리며 다가온 경찰관은 소피에게 등을 돌린 채 한 시민에게 말했다.

"예일 대학생인 것 같습니다. 하트퍼트 대학을 영패시키고 축하 소동을 벌이고 있는 중이죠. 좀 시끄럽긴 해도 별일은 없을 겁니다. 그대로 내버려 두라는 상부의 지시가 있었습니다."

소피는 서글픈 기분으로 부질없는 짓을 그만두었다. 무슨 짓을 해도 경찰관은 나를 잡아 가지 않을 것인가? 섬은 소피로서는 아무래도 갈 수 없는 유토피아처럼 느껴졌다. 바람이 차가웠다. 그는 얇은 웃옷의 단추를 끼웠다.

말쑥하게 차려 입은 한 남자가 담뱃가게에 매달려 있는 점화기로 시가에 불을 붙이는 모습이 눈에 들어왔다. 담뱃가게 입구에는 그 남자 것인 듯싶은 실크 우산이 놓여 있었다.

가게 안으로 들어간 소피는 그 우산을 집어들고 유유히 밖으로 나왔다. 시가에 불을 붙이던 남자가 황급히 따라나왔다.

"어이, 그건 내 우산이야!"

남자는 거칠게 소리쳤다.

절도에 모욕죄까지 덧붙이려는 듯 소피는 한껏 빈정거렸다.

"아, 그렇습니까? 그럼 경찰관을 불러 보시지. 당신 우산을 내가 훔쳤다는 거요? 아, 왜 그러고 서 있소? 어서 경찰관을 불러요. 저 모퉁이에 한 사람 있구려."

우산 주인은 머뭇거렸다.

그 순간, 소피는 행운이 달아나 버릴 듯한 예감을 느꼈다.

경찰관이 수상쩍다는 듯 두 사람을 바라보았다.

"그야 말하자면 이런 실수야 보통 있는 일 아닙니까. 만일 그게……. 그러니까 선생 우산이라면 미안하게 됐소. 사실 오늘 아침 어느 식당에서 주웠는데…… 선생 것이 분명하다면야 물론 선생이…… 정말 미안하게 됐군요…….”

“물론 내 우산이지.”

소피는 심술궂게 말했다.

그것으로 우산의 전 소유주는 물러갔다. 경찰관은 야회용 코트 차림의 금발 미녀에게 달려가, 두 블록쯤 거리를 두고 다가오는 전차 앞에서 길을 건너는 일을 도와주었다.

소피는 도로 공사 때문에 파헤쳐진 길을 따라 동쪽으로 걸어갔다. 우산은 홧김에 공사장 구덩이 속으로 던져 버렸다.

그는 헬멧을 쓰고 경찰봉을 든 사나이들에게 마음 속으로 불평을 늘어놓았다. 이쪽에서는 제발 잡아가 주었으면 하는데, 저쪽에서는 그가 무슨 짓을 하든 죄가 안 되는 왕처럼 생각하고 있는 것 같았다.

이윽고 소피는 거리의 불빛도 소음도 거의 다 끊어진 동쪽의 큰길로 나갔다. 이상하게 적막한 길모퉁이에서 소피는 문득 걸음을 멈추었다. 거기엔 지붕이 어딘가 색다른 낡은 교회가 있었다. 짙은 보라색 스테인드 글라스 안쪽에 부드러운 불빛이 보였다.

아마 거기서는 오르간을 치는 사람이 다음 일요일의 찬송가를 익숙하게 칠 수 있을까를 확인하기 위해 건반을 눌러 보고 있으리라. 달콤한 음악 소리가 소피의 귀로 흘러들어와 그의 마음을 사로잡은 다음, 그의 발걸음을 소용돌이 무늬의 울타리 앞에 묶어 버렸다.

하늘에는 달이 밝게 빛나고, 자동차도 지나가는 사람도 거의 눈에 띄지 않았다. 뜰에서는 참새가 졸린 듯 힘없이 짹짹거리고 있었다. 그 순간 주위의 풍경은 시골 교회 그대로였다. 그리고 오르간 주자가 치는 찬송가는 소피를 울타리에 못박아 버렸다. 그 노래는 그의 삶 속에 어머니, 장미꽃, 야망, 친구, 순결한 생각, 흰 칼라 따위가 자리를 잡고 있던 시절에 자주 들었던 것이었다.

감상적으로 변한 그의 마음과 낡은 교회가 주는 감화력이 하나가 되어 그의 영혼에 갑자기 놀라운 변화가 일어났다. 그는 자신이 빠져 있는 깊은 수렁과 자기 존재를 구성하고 있는 타락된 나날, 비천한 욕망, 영영 사라진 듯한 희망, 녹슨 재능, 야비한 동기 따위를 두려운 마음으로 뒤돌아보았다.

그러자 새로운 기분에 응하여 가슴이 떨리기 시작했다. 곧 강한 충동이 그로 하여금 절망적인 운명에 대항하게 했다.

진흙탕에서 내 자신을 구해 내자. 아직도 늦지 않았다. 나는 아직 젊다. 옛날의 진지한 야망을 되살려 꾸준히 노력하자. 그 거룩하고 아름다운 오르간 소리가 그의 마음에 혁명을 일으킨 것이다. 내일은 일자리를 찾아 복작거리는 번화가로 나가 보자. 언젠가 한 모피 수입상이 자기 차를 운전해 주지 않겠느냐고 한 적이 있었다. 그래, 그 사람을 찾아가 일자리를 부탁해 봐야지. 나도 떳떳한 사람이 되자, 나도!

그 때 누군가의 손이 자기 팔을 잡는 것을 깨달았다. 돌아다보니 경찰관이 서 있었다.

"여기서 뭘 하고 있지?"

경찰관이 물었다.

"별로."

소피가 대답했다.

"아무튼 함께 가자고."

경찰관이 말했다.

"금고 3개월."

다음 날 아침, 경범 재판소에서 치안 판사가 선고했다.

마녀의 빵

미스 마서 미첨은 길모퉁이에 작은 빵집을 하고 있었다. 계단을 세 개 밟고 올라간 곳에 있는 그 가게는 문을 열면 딸랑딸랑 종소리가 났다.

미스 마서는 마흔 살, 통장에는 2천 달러의 예금이 있었고, 의치 두 개와 동정심을 가진 여자였다. 사실 미스 마서보다 훨씬 조건이 나쁜 여자들도 결혼을 했다.

일주일에 두세 번씩 미스 마서의 빵가게에 들르는 남자가 있었다. 그녀는 그 손님에게 관심을 갖기 시작했다. 안경을 쓴 그 중년 남자는 갈색 턱수염을 정성스레 기르고 있었다. 그리고 그는 독일 악센트가 강한 영어를 사용했다. 입고 있는 옷은 군데군데 떨어져 기운 데가 많았고, 구겨지고 불룩 튀어나온 곳도 있었다. 하지만 그는 깔끔하게 보였으며, 또 매우 예절바르게 행동했다.

그는 늘 묵은 빵을 두 덩어리씩 사 가지고 갔다. 갓 구운 빵은 한 덩어리에 5센트였고 묵은 빵은 두 덩어리에 5센트였는데, 그는 묵은 빵만 사 가지고 갔다.

미스 마서는 그의 손가락에 붉은 기가 도는 자색 물감이 묻은 것을 보았다. 그것을 보고 그녀는 그가 화가임이 분명하고, 또 몹시 가난한 사람이라고 생각했다. 틀림없이 그는 다락방에 살면서 그림을 그리고,

묵은 빵을 먹으며 미스 마서의 빵집에 있는 맛있는 빵에 대해 생각하고 있을 것이다.

고기와 잼을 바른 빵, 그리고 차가 있는 식탁에 앉으면, 미스 마서는 때로 그 예절바른 화가가 초라한 다락방에서 마른 빵조각이나 먹을 것이 아니라, 자기와 이 맛있는 음식을 함께 먹을 수 있으면 좋을 텐데, 하고 한숨을 쉬었다. 앞서도 말했다시피 미스 마서는 동정심이 많은 여자였다.

그녀는 그의 직업에 대한 자신의 짐작을 시험해 볼 생각에서, 할인 판매하는 화랑에서 산 그림을 방에서 떼어다가 빵을 진열한 카운터 뒤의 선반 위에 걸어 놓았다.

베네치아의 풍경을 그린 그림이었다. 웅장한 대리석 궁정(그림에 그렇게 씌어 있었다.)이 전경에, 아니 물에 비친 정경을 앞으로 하고 서 있었다. 그 나머지 부분은 곤돌라(한 여자가 그 안에 타고 앉아 물에 손을 담그고 있었다.), 구름, 하늘 등으로 채워져 있었다. 화가라면 단번에 알아볼 수 있는 것이었다.

이틀 후, 그가 왔다.

"묵은 빵 두 덩어리만 주십시오."

그리고 그는 그녀가 빵을 싸고 있는 동안 말했다.

"참 좋은 그림을 갖고 계시는군요."

자기 짐작이 맞아들어가는 것을 내심 기뻐하며 미스 마서가 말했다.

"그래요? 저는 미술을 참 좋아하고, 또……."

화가도 좋아한다고 하기는 좀 이를 것 같아서 이렇게 덧붙였다.

"또 그림도 좋아해요. 좋은 그림이라고 생각하세요?"

"궁정은 별로 잘 그려지지 않았군요. 원근법이 틀렸어요. 그럼 안녕히 계십시오, 부인."

그는 이렇게 말한 다음 빵을 들고 서둘러 나가 버렸다.

'그래, 틀림없이 화가다.'

미스 마서는 그림을 도로 방으로 가져갔다.

'안경 속에서 빛나던 그 부드럽고 친절한 눈! 그 넓은 이마! 원근법이 잘못된 걸 한눈에 알아내는 그런 사람이 묵은 빵만 먹고 살다니! 그러나 세상의 인정을 받기 전에는 천재도 고생을 해야 하니까……. 그 천재에게 2천 달러의 예금과 빵집, 그리고 자상하게 마음을 써 주는 사람이 있다면, 그림도 원근법도 얼마나 좋아질까.'

그러나 그런 생각은 백일몽에 불과했다.

그 후로 남자는 자주 가게에 찾아와서 진열장 맞은편에서 잠시 이야기를 하다가 가곤 했다. 미스 마서의 상냥한 말을 듣고 싶어서 그러는 것 같았다.

그는 변함없이 묵은 빵을 사 갔다. 케이크나 파이, 그 맛있는 샐리런(방금 구워서 만든 빵)은 한번도 사 가지 않았다.

미스 마서는 그의 얼굴빛이 점점 더 창백해지고 풀이 죽어 가고 있다고 생각했다. 안쓰러운 생각이 들어, 그녀는 그가 사 가는 초라한 음식에 뭔가 덧붙여 주고 싶었다. 하지만 용기가 나지 않았다. 그의 자존심을 건드릴 만한 일은 하고 싶지 않았다. 그녀는 화가의 자존심이 얼마나 강한지 잘 알고 있었던 것이다.

미스 마서는 가게의 카운터에서 푸른 물방울 무늬의 실크 블라우스를 입기 시작했다. 그녀는 또 뒷방에서 마르멜로 씨앗과 붕사를 섞은 이상한 혼합물을 제조했다. 많은 여자들이 얼굴을 아름답게 만들기 위해 쓰는 것이다.

어느 날, 그 손님은 다른 날과 마찬가지로 5센트짜리 동전을 진열장 위에 놓고 묵은 빵 두 덩어리를 달라고 했다. 미스 마서가 빵을 꺼내기 위해 손을 뻗치는 순간, 소방차가 요란스러운 소리와 함께 지나갔다.

다른 사람들처럼 그 손님도 문 쪽으로 달려갔다. 미스 마서는 마침내 기회가 왔다고 생각했다.

카운터 뒤 맨 밑의 선반에는 10분 전에 우유 배달부가 놓고 간 버터 1파운드가 있었다. 미스 마서는 빵 자르는 칼로 두 개의 빵을 깊이 자른 다음, 그 속에 버터를 듬뿍 집어 넣고 본래대로 꽉 눌러 놓았다.

구경을 다 한 손님이 카운터로 돌아왔을 때, 그녀는 빵을 종이에 싸고 있었다.

전에 없이 즐거운 대화를 나누고 그가 돌아간 후, 미스 마서는 홀로 미소를 지었다. 웬일인지 가슴이 몹시 두근거렸다.

너무 주제넘은 짓을 한 건 아닐까? 그가 기분 나쁘게 생각하지는 않을까? 아니, 그렇진 않을 거야. 꽃말은 있어도 먹는 것에 대한 말은 없지 않은가. 버터가 여자답지 않은 적극성을 표현한다고는 할 수 없지.

아무튼 그 날은 온종일 그 일이 머리에서 떠나질 않았다. 자기가 몰래 한 짓을 발견한 그의 모습을 상상해 보기도 했다.

그는 붓과 팔레트를 내려놓을 것이다. 아마 그리고 있던 그림이 걸려 있는 이젤이 있으리라. 그 그림의 원근법은 두말 할 필요가 없겠지. 그는 마른 빵과 물로 식탁을 차리고 방에 칼을 갖다 댈 것이다.

아! 미스 마서는 얼굴을 붉혔다. 빵을 먹으며 그는 버터를 넣은 이 손을 생각할까? 그럴까?

그 때 현관의 벨이 신경질적으로 울렸다. 누군가 떠들썩하게 들어오고 있었다, 미스 마서는 급히 밖으로 나갔다. 현관에는 두 남자가 서 있었다. 한 사람은 한번도 본 적이 없는 젊은 남자로 입에 파이프를 물고 있었다.

다른 한 사람은 그녀가 아는 그 화가였다.

화가의 얼굴은 벌겋게 상기되어 있었고, 뒤로 젖혀진 모자 사이로 보이는 머리카락은 형편없이 헝클어져 있었다. 그는 불끈 쥔 주먹을 미스 마서에게 마구 휘둘러 보였다. 미스 마서에게 말이다.

"이 바보 천치야!"

그가 소리쳤다.

그리고 독일어로 그와 비슷한 욕을 퍼부었다.

젊은 남자가 그를 끌어 내려 했다.

"안 가! 이 여자에게 얘기해 줘야지."

화가가 분노에 찬 목소리로 말했다.

그리고는 미스 마서의 가게 카운터를 주먹으로 내리쳤다.

"당신이 내 신세를 망쳤어! 알겠어? 당신은 쓸데없이 남의 참견이나 하는 늙은 암코양이야."

하고 소리쳤다. 안경 속의 푸른 눈이 분노로 이글거렸다.

미스 마서는 가까스로 벽에 기댄 채 한손으로 물방울 무늬의 실크 블라우스를 만지작거렸다. 젊은 남자가 화가의 옷자락을 잡아당겼다.

"그만 갑시다. 그 정도면 됐잖소."

그는 분노에 떠는 화가를 끌고 밖으로 나갔다. 그러더니 다시 안으로 들어와서 말했다.

"어찌 된 일인지 설명해 드리죠. 저 사람은 블럼버거라는 건축 설계사입니다. 저는 같은 사무실에서 일하고 있는 동료이고요. 지난 3개월 동안 그는 현상 모집 작품인 신축 시청 설계도를 열심히 그려 왔습니다. 어제로 잉크 선 긋는 것을 끝냈답니다. 아시는지 모르지만, 제도할 때는 먼저 연필을 씁니다. 그리고 잉크로 선 긋는 일이 끝나면 그 연필 자국은 묵은 빵을 떼어서 지우죠. 지우개로 하는 것보다 잘 지워지니까요. 블럼버거는 그 빵을 줄곧 여기서 사 갔지요. 그러다가 그만, 알고 계시겠지만, 그 버터 때문에 설계도를 망치고 말았습니다. 기차역에서 파는 샌드위치처럼 설계도를 잘라 버릴 수밖에 없게 되었지요."

미스 마서는 뒷방으로 들어갔다. 푸른 물방울 무늬의 실크 블라우스 대신 전에 입던 낡은 갈색 서지 옷으로 갈아입었다. 그리고 마르멜로 열매와 붕사의 혼합물을 창 밖 쓰레기통에 던져 버렸다.

물레방아가 있는 교회

상류층 사람들이 모여드는 피서지 안내서에 레이클런스란 지명은 나와 있지 않았다. 이 곳은 클린치 강의 지류를 따라 뻗어 나간 켄버랜드 산맥의 낮은 돌출부에 있는 평화로운 마을로, 원래 한적한 협궤 철도 연변에 20채 가량의 집이 흩어져 있었다.

혹시 이 철도가 솔밭 가운데에서 길을 잃고 무서움과 외로움을 견디다 못해 레이클런스로 달려온 게 아닌가 하는 생각도 들고, 그렇지 않으면 레이클런스가 길을 잃고 미아가 된 채 철로가에 모여서 기차가 집으로 데려다 주기를 기다리고 있는 게 아닌가 하는 생각도 든다.

그뿐만이 아니다. 어째서 이 곳을 레이클런스라고 부르게 되었는지, 그것도 이상한 일이다. 호수가 있는 것도 아니고, 그렇다고 주변의 토지가 이렇다하게 가치가 있는 것도 아니다.

레이클런스에서 1킬로미터 정도 가면 '이글 하우스'라는 대저택이 있다. 그 집은 산의 맑은 공기를 마시러 오는 손님들을 위해 조사이어 랭킨이 경영하는 여관이다. 그런데 이글 하우스는 유쾌할 만큼 그 경영이 서투르다. 장식도 근대적인 것은 외면하고 고전적인 것으로만 꾸며져 있다. 그런데다 대체로 우리네 가정처럼 마음이 풀어지도록 돌봐 주지 않고, 신이 날 만큼 집안 분위기가 흐트러져 있다. 하지만 이 집에는 깨끗한 방, 맛있고 풍부한 음식이 마련되어 있다.

그 밖의 일은 모두 손님과 솔밭에 맡겨져 있다. 자연은 약수와 포도 덩굴의 그네, 그리고 크리켓 놀이를 제공하고 있다. 여기서는 크리켓의 철문도 나무 막대기이다.

인공적인 것이라곤 그저 한 주일에 두 번 통나무로 지은 유흥장에서 열리는 무도회의 바이올린 소리, 그 밖의 음악 정도이다.

이글 하우스의 단골 손님들은 요양을 즐긴다기보다 요양이 필요해서 찾아오는 사람들이었다. 그들은 말할 수 없이 바쁜 사람들로, 이를테면 일 년 내내 톱니바퀴를 돌리기 위해 2주일에 한 번 정도 태엽을 감아 줘야 하는 시계와 마찬가지이다.

그 중에는 산 밑 읍에서 찾아오는 학생도 있고, 예술가나 산의 오랜 지층을 조사하기 위해 찾아오는 지질학자도 있다. 단출한 가족 몇 팀이 한여름을 보내러 오기도 하고, 레이클런스에서는 '선생님'으로 불리는 그 부지런한 종교 부인 단체의 몹시 지친 회원도 한두 명 찾아왔다.

이글 하우스에서 400미터쯤 더 가면, 만일 이글 하우스에서 안내서 라도 발행한다면 두말 할 것도 없이 '명소'라고 소개할 만한 것이 있다. 그것은 아주 오래 된 물레방앗간으로 지금은 이미 방앗간이 아니다. 조 사이어 랭킨에 의하면 '미국에서 단 하나인 걸상과 파이프 오르간이 있 는 물레방앗간'이다. 안식일이면 이글 하우스에서 머무는 손님들은 이 오래 된 물레방앗간 교회에 나가서, 죄를 정결하게 씻은 그리스도 교도 는 경험과 고뇌의 절구에 빻아지고 체로 걸러져 쓸모있게 되는 밀가루 같은 것이라고 하는 목사의 설교에 귀를 기울인다.

매년 초가을이 되면, 이글 하우스에는 에이브럼 스트롱이라는 사람이 찾아와 존경과 사랑을 받는 소중한 손님으로서 얼마 동안 묵어 간다. 레이클런스에서는 그를 '에이브럼 신부'라고 부른다. 은발에 생김새가 단정하고, 또한 상냥하고 혈색이 좋은데다가 맑은 웃음소리, 검은 옷과

챙 넓은 모자 때문에 얼른 보기에 신부 같았던 것이다. 낯선 손님도 며칠만 그와 함께 지내면 자기도 모르게 이 친근한 호칭으로 그를 부르게 된다.

에이브럼 신부는 멀리서 일부러 이 레이클런스까지 찾아온다. 북서부의 어느 활기찬 도시에 살고 있는 그는 몇 개의 제분 공장을 가지고 있었다. 걸상과 파이프 오르간이 있는 작은 방앗간이 아니라, 개미가 제 집 주위를 돌 듯 화물 열차가 하루 종일 그 주위를 왔다갔다하는, 말하자면, 거대한 괴물 같은 대규모 제분 공장이었다. 지금부터 에이브럼 신부와, 이제는 교회가 된 물레방앗간에 대해 이야기하겠다. 이 두 이야기는 하나니까 말이다.

이 교회가 아직 물레방앗간이었을 때, 스트롱 씨가 그 주인이었다. 이 지방에서 그처럼 유쾌하고, 밀가루투성이가 되어서도 행복해하는 방아꾼은 찾아볼 수가 없었다. 그의 집은 방앗간에서 길 하나를 건넌 곳에 있는 작은 오두막이었다. 일 솜씨가 능숙한 것은 아니었으나. 방아삯이 쌌기 때문에, 산지 사람들은 몇 킬로미터나 되는 바윗길을 마다 않고 그의 방앗간까지 곡식을 빻으러 오곤 했다.

이 방아꾼의 삶에 있어서 가장 큰 기쁨은 어린 딸 어글레이어(그리스 신화에 나오는 빛의 여신)였다. 아장아장 걸어다니는 금빛 머리카락의 어린아이 이름치고는 좀 거창하지만, 흔히 산지 사람들은 멋지고 근사한 이름을 좋아한다. 이 이름은 어머니가 어느 책에서 보고 자기 딸에게 붙여 준 것이었다. 그런데 어글레이어는 왜 그런지 이 이름으로 불리는 것을 싫어하여, 멋대로 자신을 덤스라고 불렀다. 방아꾼과 그 아내는 그 이상한 이름이 어디서 나온 건지 알아 내기 위해 몇 번이나 어글레이어를 달래고 얼렀으나, 소용 없는 일이었다.

이윽고 이들 부부는 하나의 결론에 이르렀다. 오두막 뒤의 작은 마당에 딸이 특히 좋아하는 로도 덴드론의 꽃밭이 있었다. 부부는 딸이 아마도 '덤스'라는 이름에 자기가 좋아하는 이 꽃의 어려운 이름과 뭔가 통하는 것이 있다고 생각했나 보다고 결론을 내렸던 것이다.

어글레이어가 네 살이 되었을 무렵, 부녀는 매일 오후 물레방앗간 안에서 조촐한 행사를 함으로써 하루의 일을 마감하곤 했다. 날씨가 좋을 때면 으레 행사가 벌어졌다.

저녁 식사 준비가 되면, 어머니는 딸의 머리를 빗기고 깨끗한 앞치마를 입혀 방앗간으로 아버지를 맞이하러 보냈다. 어글레이어의 모습이 방앗간 입구에 나타나면, 방아꾼은 온몸에 밀가루를 하얗게 덮어쓴 채 나왔다. 그리고 손을 흔들며 옛날부터 이 지방에 전해 내려오는 방아꾼의 노래를 불렀다.

> 물레방아 돌아가며
> 밀가루를 빻는다네.
> 밀가루를 뒤집어쓴
> 방아꾼은 즐거워라.
> 아침부터 밤중까지
> 노래하며 살아가네.
> 우리 아기 생각하면
> 이런 일도 즐거워라.

그러면 어글레이어는 웃으며 달려와 소리쳤다.

"아빠, 덤스를 집에 데려다 줘요!"

딸을 덥석 안아 어깨에 태운 방아꾼은 계속 노래를 부르면서 저녁 식탁을 향해 씩씩하게 행진해 갔다. 이 행사는 매일 저녁마다 빠짐 없이 치러졌다.

네 번째 생일을 맞은 지 일주일이 지난 어느 날, 어글레이어는 홀연히 행방불명이 되었다. 마지막으로 본 소녀의 모습은 집 앞 길에서 들꽃을 따고 있는 것이었다. 얼마 지나지 않아 어머니가 너무 멀리 가지 말라고 주의시키기 위해 나갔을 때 딸은 이미 보이지 않았다.

물론 어글레이어를 찾기 위해 그들은 가능한 모든 노력을 기울였다. 마을 사람들은 사방 몇 킬로미터에 걸친 숲과 산속을 이잡듯이 뒤지고 다녔다. 그리고 물레방아로 흘러드는 수로며 시냇물 바닥을 멀리 둑 아래까지 샅샅이 훑었지만, 아무런 흔적도 발견할 수 없었다.

사건이 나기 하루인가 이틀 전, 근처 숲 속에서 집시 가족이 야영을 했었다. 혹시 그들이 납치해 갔을지도 모른다는 소문이 돌았다. 그래서 집시의 포장마차를 따라가 뒤져 보았지만, 소녀는 발견되지 않았다.

방아꾼은 그 후로도 약 2년 동안 이 물레방앗간을 떠나지 않았으나, 그 동안에 딸을 찾을 희망은 영영 사라졌다. 두 내외는 북서부로 이사를 가 버렸다.

2, 3년 후, 방아꾼은 제분업이 번창한 그 도시에서 근대적인 제분 공장의 주인이 되었다. 어글레이어를 잃은 마음의 상처를 달래지 못한 스트롱 부인은 이사한 지 2년 만에 세상을 떠났다. 스트롱 씨는 혼자 남아 슬픔을 견뎌야만 했다.

어느 정도 생활이 안정되자, 에이브럼 스트롱 씨는 레이클런스와 옛날의 그 방앗간을 찾아왔다. 그 곳 풍경은 그에게 아픔만 안겨 주었다. 하지만 그는 강한 사람이었으므로, 늘 명랑하고 친절했다. 그가 이 오래된 물레방앗간을 교회로 고쳐 지을 생각을 한 것은 이 때였다.

레이클런스 사람들은 너무 가난했기 때문에 교회를 세울 수가 없었다. 그들보다 더 가난한 산간 벽지 사람들 역시 그들을 도울 능력이 없

었다. 그런 까닭에 사방 30킬로미터 안에는 교회가 없었던 것이다.

스트롱 씨는 될 수 있는 한 물레방앗간의 겉모양을 바꾸지 않기로 했다. 따라서 커다란 물레바퀴는 그냥 놓아 두었다. 이 교회를 찾는 젊은 이들은 대부분 그 물레바퀴의 썩어 가는 무른 나무에 자기 이름의 머리글자를 새겼다. 둑 한쪽이 허물어져, 깨끗하고 맑은 산골의 물이 잔잔한 물결을 일으키며 거침없이 바위 위를 흐르고 있었다. 방앗간 안은 완전히 달라졌다. 물론 방아굴대, 방아확, 벨트, 도르래 등은 다 치워 버렸다. 걸상이 가운데 통로를 사이에 두고 두 줄로 놓이고, 그 안쪽에는 한 단 높게 설교단이 만들어졌다. 삼면의 머리 위 이층에는 좌석이 마련되었는데, 층계로 내부와 연결되었다.

이층에는 진짜 파이프 오르간이 있었다. 그것은 '낡은 물레방앗간 교회' 신도들 모두의 자랑거리였다. 오르간 연주자는 피비 서머스 양이었다. 레이클런스의 소년들은 그녀를 위해 매주 예배 때마다 번갈아 오르간의 공기를 펌프질해 주는 것을 자랑스럽게 생각했다.

설교자는 베인브리지 목사였는데, 그는 안식일마다 어김없이 '다람쥐 골짜기'에서 늙은 백마를 타고 찾아왔다. 에이브럼 스트롱 씨가 이 모든 비용을 부담했다. 1년 동안 설교자인 베인브리지 목사에게는 5백 달러, 오르간 주자인 피비 양에게는 2백 달러를 지불하였다.

옛 물레방앗간은 이렇게 어글레이어를 기념하기 위해, 예전에 그녀가 살던 마을 사람들에게는 하느님의 은총을 비는 고마운 장소로 개조되었던 것이다.

어글레이어의 짧은 생애는 다른 사람의 70년보다 위대한 선행을 불러일으킨 것 같았다. 에이브럼 스트롱 씨는 그 밖에 딸을 기념하는 것을 또 한 가지 만들었다. 북서부에 있는 제분 공장에서 '어글레이어 표' 밀가루를 만들어 팔기 시작한 것이다. 사람들은 가장 질 좋은 밀로 만든 이 '어글레이어 표' 밀가루의 값이 두 가지라는 사실을 알게 되었다. 한 가지는 최고의 가격이고, 다른 한 가지는 무료였다.

화재나 홍수나 토네이도, 또는 파업이나 기근 등 사람들을 곤궁에 빠뜨리는 재해가 일어나는 곳이면, 그 곳이 어디든 즉시 '어글레이어 표' 밀가루가 '무료'로 넉넉하게 공급되었다. 그것은 아주 신중하고 조심스럽게 제공되었다. 또한 자유로이 분배되고, 굶주린 사람들이 1페니도 돈을 내지 못하게 했다. 사람들 사이에선 이런 말이 떠돌았다. 즉, 도시의 빈민가에 큰 화재가 발생하면 가장 먼저 소방단장의 마차가 도착하고, 이어서 '어글레이어 표' 밀가루를 실은 짐차, 그 다음에야 소방차가 온다는 것이다.

어느 해인가 캔버랜드 지방에 불경기의 물결이 밀려왔다. 대부분 흉작이고 수확을 전혀 얻지 못한 땅도 있었다.

거기다 산사태까지 나서 사람들은 막대한 재산상의 피해를 입었다. 숲 속에서의 사냥도 수확이라곤 없어서 사냥꾼들은 가족들이 살아가는 데 필요한 최소한의 짐승도 잡지 못했다. 그런 현상은 레이클런스 일대가 특히 심했다.

이 소식을 들은 에이브럼 스트롱 씨는 즉시 조처를 취했다. 어글레이어 표 밀가루는 곧 협궤 철도를 이용해서 레이클런스에 운반되기 시작했다. 옛 물레방앗간 교회 이층에 밀가루를 쌓아 놓고 교회에 오는 사람마다 한 포대씩 주어 보내라는 것이 스트롱 씨의 지시였다.

2주일 후, 에이브럼 스트롱 씨는 다른 해와 마찬가지로 이글 하우스를 찾아와 다시 '에이브럼 신부'가 되었다.

이 해에 이글 하우스의 손님은 여느 때보다 적었다. 그 손님 중에 로즈 체스터라는 여자가 끼어 있었다. 애틀랜타 출신인 체스터 양은 그곳의 어느 백화점에 근무하고 있었는데, 이번에 난생 처음 휴가 여행을

왔던 것이다. 언젠가 그 백화점 지배인의 부인이 이글 하우스에서 한여름을 지낸 적이 있었다. 체스터 양을 매우 귀여워하던 부인은 3주일의 휴가 기간에 꼭 이글 하우스에 가 보라고 권했다. 이 때 부인은 랭킨 부인 앞으로 소개장을 써 주었다. 체스터 양을 반가이 맞은 랭킨 부인은 스스로 그녀의 뒷바라지를 자청했다.

체스터 양은 별로 건강한 편이 아니었다. 나이는 스무 살쯤 되었는데, 얼굴빛이 좋지 않고 몸이 허약했다. 그러나 레이클런스에서 일주일 정도 보내는 동안 그녀는 눈에 띄게 혈색이 좋아지고 기운을 되찾았다.

캔버랜드 지방의 아름다운 경치가 절정에 달한 9월 초였다. 산 위의 나무들은 단풍으로 불타는 듯하고, 공기는 샴페인처럼 달콤했으며, 특히 밤공기는 상쾌하고 신선해서 이글 하우스의 폭신한 담요를 덮고 싶은 정도였다.

에이브럼 신부와 체스터 양은 좋은 친구가 되었다. 랭킨 부인은 늙은 제분 공장 주인에게 체스터 양의 곤란한 형편을 전해 주었다. 그리하여 에이브럼 신부는 이 연약하고 외로운 처녀에게 관심을 쏟기 시작했다.

체스터 양은 이런 산지에 처음 와 보았다. 지금까지 내내 따뜻하고 평탄한 애틀랜타 시에서 살아왔기 때문에, 캔버랜드 지방의 웅대함과 다양함에 도취되어 거기에 머무는 동안의 순간순간을 놓치지 않고 즐기기를 원했다. 많지 않은 저금은 여러 가지 경비를 생각하며 면밀히 계산해 두었으므로, 다시 직장으로 돌아갔을 때 돈이 어느 정도 남을 것인가 훤히 알고 있었다.

말벗으로서 또는 친구로서 에이브럼 신부를 알게 되었다는 것은 체스터 양에게는 정말 다행스러운 일이었다. 그는 레이클런스 일대 산 속의 어느 길, 어느 봉우리, 어느 고개나 빠짐없이 알고 있었다. 그녀는 그를 통하여 솔밭 속 나무에 덮인 그늘진 오솔길의 신비스러운 아름다움, 그대로 드러난 바위의 장엄함, 수정처럼 공기가 맑은 상쾌한 아침, 그리고 깊은 정적에 싸인 꿈 같은 황금빛 오후를 알게 되었다.

그리하여 그녀는 몸의 건강을 찾은 것은 물론 정신도 훨씬 맑아졌다. 모르는 사람이 없는 에이브럼 신부의 밝은 웃음소리처럼 그녀 또한 여자다운 느낌이 넘치는 부드러운 웃음을 보이게 되었다. 그들은 둘 다 천성적인 낙천가로서, 온화하고, 부드럽고, 밝은 얼굴로 사람들을 대하는 방법을 알고 있었다.

어느 날이었다. 체스터 양은 우연히 한 숙박 손님에게서 에이브럼 신부의 행방 불명된 딸에 관한 이야기를 들었다. 얼른 밖으로 나가 보니, 제분 공장 주인은 그가 좋아하는 약수터 옆 통나무 벤치에 앉아 있었다. 귀여운 친구가 그 손을 자기 손바닥 안으로 살며시 밀어넣으며 눈물이 글썽한 눈으로 자기를 쳐다보는 것을 알고는 깜짝 놀랐다.

"에이브럼 신부님, 참 안됐어요. 전 지금껏 신부님의 어린 따님 얘기를 까맣게 모르고 있었어요. 하지만 꼭 찾게 되실 거예요. 아, 정말 찾게 되셨으면 좋겠어요."

체스터 양이 말했다.

스트롱 씨는 밝은 미소를 머금은 얼굴로 그녀를 바라보았다.

"고맙소, 체스터 양. 그러나 어글레이어는 못 찾을 거야. 처음 몇 년 동안은 부랑자들에게 납치되었을 것으로 생각해서 분명히 어딘가 살아 있으리라는 희망을 품었었지. 하지만 그 희망도 사라진 지 오래야. 아마 물에 빠져 죽었나 봐."

그는 평소의 밝은 어조로 말했다.

"그런 의문들 때문에 얼마나 애를 태우셨을까요? 그런데도 신부님은 늘 명랑하시고, 끊임없이 다른 사람의 무거운 짐을 덜어 주려 하시니, 정말 따뜻한 분이세요."

"체스터 양이야말로 따뜻한 사람이야. 체스터 양만큼 동정심이 많은 사람도 흔치 않을 거야."

제분 공장 주인은 체스터 양의 말투를 흉내내며 웃었다.

체스터 양은 문득 장난기가 발동했다.

"저, 에이브럼 신부님. 제가 만약 신부님의 따님이라면 어떨까요? 너무 낭만적이라고 생각되지 않으세요? 하지만 신부님은 그런 게 별로 반갑지 않으실 거예요."

"천만에, 체스터 양. 그게 사실이라면 좋겠어. 난 만일 어글레이어가 살아 있다면 체스터 양처럼 귀여운 아가씨로 자라 있었으면 좋겠다고 생각하고 있어. 아니, 어쩌면 체스터 양이 정말 어글레이어인지도 모르지."

제분 공장 주인은 정색을 하고 말했다.

그는 그녀의 장난기에 맞추어 말을 이었다.

"혹시 우리가 물레방앗간에 살던 때의 일이 생각나지 않아?"

그러자 체스터 양은 깊은 생각에 잠겼다. 그 커다란 눈동자는 뭔가 아득한 것을 응시하고 있었다. 그녀가 별안간 심각해진 것을 보고 에이브럼 신부는 미소를 지었다.

그렇게 얼마 동안 앉아 있던 그녀가 입을 열었다.

"아, 아무것도 생각 안 나요. 물레방아 같은 건 전혀 기억에 없어요. 신부님의 특이한 작은 교회를 보기 전까지 전 물레방아를 한번도 본 적이 없는 것 같아요. 제가 만일 신부님의 따님이라면 뭔가 분명히 기억하고 있을 텐데. 그렇겠죠? 참 안타까워요, 에이브럼 신부님."

그녀는 깊은 한숨을 내쉬며 가까스로 말했다.

"나도 안타까워. 그런데 체스터 양, 비록 내 딸이었다는 기억은 없어도 누군가 다른 사람의 아이였다는 기억은 있을 것 아닌가. 부모님에 대해 기억하고 있나?"

에이브럼 신부가 달래듯이 물었다.

"물론 잘 기억하고 있어요. 특히 아버지에 대해선. 아버지는 신부님과는 아주 다른 사람이었어요. 그냥 한번 장난으로 말씀드린 거예요, 에이브럼 신부님. 자, 이제 많이 쉬셨죠? 오늘 오후에 송어가 노는 게 보이는 연못에 데려다 주시겠다고 하셨잖아요. 전 아직 송어를 본 적이 없어요."

그 후의 어느 날 늦은 오후, 에이브럼 신부는 혼자 옛 물레방앗간을 찾아갔다. 가끔 그는 그 곳의 걸상에 걸터앉은 채 길 하나를 사이에 둔 맞은편 오두막에 살던 때를 생각했다. 시간이 지남에 따라 슬픔의 날카로움도 많이 무디어져서, 이젠 그 때를 생각해도 그다지 마음 아프지는 않았다. 하지만 9월의 오후에 '덤스'가 금빛 곱슬머리를 흩날리며 뛰어 들어오던 그 자리에 앉아 있을 때만은, 레이클런스 사람들이 늘 그의 얼굴에서 보는 미소가 사라졌다.

에이브럼 스트롱 씨는 꼬불꼬불 가파른 길을 천천히 걸어 올라갔다. 그는 모자를 벗어 든 채 그늘 밑을 걸어갔다. 나무가 길 옆에까지 무성하게 자라 있었던 것이다. 오른쪽으로 보이는 해묵은 울타리 위에서 다람쥐 몇 마리가 신나게 뛰놀고 있었다. 보리 그루터기 속에서는 메추라기가 새끼를 부르고 있었다. 나지막하게 가라앉아 가는 저녁해가 서쪽으로 트인 골짜기에 아련한 황금빛 광선을 힘차게 반사하고 있었다. 9월 초! 며칠만 있으면 어글레이어가 실종된 날이 돌아온다.

낡은 물레방아는 덩굴에 절반쯤 덮인 채 나무 사이로 흘러내리는 따뜻한 햇살을 받아 얼룩이 져 있었다. 오두막은 아직도 길 맞은편에 서 있었으나, 이번 겨울의 사나운 바람에는 쓰러지고 말 것 같았다. 지붕은 온통 나팔꽃과 야생의 호리병박덩굴로 뒤덮여 있었으며, 문짝은 경첩 하나로 간신히 버티고 있었다.

에이브럼 신부는 물레방앗간 문을 밀고 가만히 발을 들여놓았다. 그는 문득 이상한 느낌이 들어 걸음을 멈추었다. 안쪽에서 누군가 슬피 흐느끼는 소리가 들렸던 것이다. 가만히 보니, 체스터 양이 어두운 벤치에 앉아 두 손에 펼쳐 든 편지에 얼굴을 묻고 있었다.

천천히 다가간 에이브럼 신부는 그 억센 손으로 그녀의 손을 잡았다. 얼굴을 든 그녀는 가냘픈 목소리로 그의 이름을 부르고, 뭔가 말하려고 입술을 움직였다.

스트롱 씨는 부드럽게 가로막았다.

"아니, 체스터 양. 아무 말 안해도 좋아. 슬플 땐 조용히 실컷 우는 게 가장 좋아."

늙은 제분 공장 주인은 그 자신이 깊은 슬픔을 겪은 사람이었으므로, 사람의 마음에서 슬픔을 몰아내 주는 데는 능숙했다.

체스터 양의 흐느낌은 차츰 가라앉았다. 그녀는 가장자리에 아무 장식이 없는 작은 손수건을 꺼내어, 에이브럼 신부의 큼직한 손에 굴러떨어진 자기 눈물을 살짝 닦아냈다. 그리고 얼굴을 들어 아직 눈물이 괸 눈으로 미소를 지었다.

체스터 양은 언제나 눈물이 마르기 전에 웃을 줄 알았다. 그것은 스트롱 씨가 슬픔 속에서 웃는 얼굴을 보일 수 있는 것과 같았다. 그런 점에서 두 사람은 많이 닮았다.

에이브럼 신부는 아무것도 묻지 않았으나, 체스터 양은 스스로 자기 이야기를 털어놓았다.

그것은 흔히 그렇듯이 젊은 사람들에게는 대단히 중요한 일로 여겨지고 늙은 사람들에게는 추억의 미소를 불러일으키는 그런 이야기였다. 이 정도면 여러분도 상상이 되겠지만, 이야기의 주제는 연애였다. 애틀랜타에 지극히 선량하고 모든 면에서 훌륭한 한 청년이 있었다. 그는 체스터 양이 애틀랜타의 어느 여자보다, 아니 그린랜드에서 파타고니아에 이르기까지의 그 어느 여자보다도 뛰어난 아름다움을 지녔다는 것을 알고 있었다.

체스터 양은 자기를 울린 그 편지를 에이브럼 신부에게 보여 주었다. 그것은 남자다운 애정이 물씬 풍기는 편지였으나, 선량한 대부분의 청년들이 쓰는 여느 연애 편지와 마찬가지로 어느 정도의 과장과 성급함이 담겨 있었다. 편지에는 지금 당장 결혼하자고 씌어 있었다. 그녀가 여행을 떠난 후로 자기는 사는 게 고통스러워졌다고 호소했다. 즉시 답장을 보내 달라고 간청한 다음, 그것이 만일 호의를 담고 있는 회답이라면 협궤 철도고 뭐고 상관하지 않고 레이클런스로 달려오겠다는 것이었다.

"그런데 체스터 양, 뭐가 문제가 되는 거지?"

편지를 다 읽고 난 후 제분 공장 주인이 물었다.

"전 그이와 결혼할 수 없거든요."

체스터 양이 슬픈 목소리로 말했다.

"이 청년과 결혼하고 싶은 생각은 있는데 말이지?"

에이브럼 신부가 물었다.

"네, 전 그 사람을 사랑해요. 그렇지만……."

그녀는 고개를 떨구고 다시 눈물을 흘렸다.

에이브럼 신부는 그녀를 달랬다.

"자, 자, 체스터 양. 자세한 이야긴 묻지 않겠지만, 체스터 양은 나를 믿나?"

"물론 전 신부님을 진심으로 믿고 있어요. 제가 무엇 때문에 랠프의 청혼을 거절해야 하는지, 그 까닭을 말씀드릴게요. 전 너무 보잘것없는 여자예요. 이름도 없고, 지금 부르고 있는 이름은 가짜예요. 랠프는 훌륭한 청년이고 전 진심으로 그를 사랑하고 있어요. 그렇지만 전 그이와 결혼할 수는 없어요."

"그게 무슨 소리야? 체스터 양은 부모님을 분명히 기억하고 있다고 했잖아. 그런데 이름이 없다는 건 무슨 소리야? 난 도무지 알아듣지 못하겠는걸."

에이브럼 신부가 말했다.

"부모님은 분명히 기억하고 있어요. 슬플 만큼 뚜렷이 기억하고 있지요. 제 첫 기억은 어느 먼 남부에서의 생활이에요. 우리는 몇 차례나 여러 도시와 주로 이사를 다니며 살았어요. 전 목화도 따고, 공장에서 일도 했어요. 먹을 것도 입을 것도 충분치 못했죠. 그래도 어머니는 다정하게 대해 주셨지만, 성격이 거친 아버지는 항상 저를 때리곤 했어요. 부모님 모두 게을러서, 한 군데 오래 머물러 살기 힘든 분들이었던 것 같아요. 어느 날 밤, 애틀랜타 근교 강가의 작은 마을에 살 때였는데, 두 분이 크게 다투었어요. 볼썽사납게 서로 마구 욕을 퍼붓더군요. 전 그 때 알게 되었죠. 아아, 에이브럼 신부님, 전 그 때 비로소 알게 되었답니다. 제겐 이름을 가질 권리마저 없다는 걸 말이에요. 전 어느 집 딸인지도 모르는 천덕꾸러기였어요. 그날 밤, 저는 집을 나와 버렸어요. 그리고 애틀랜타까지 걸어가 일자리를 구했지요. 그 후엔 제멋대로 로즈 체스터라는 이름을 짓고 줄곧 혼자 힘으로 살아왔답니다. 신부님, 이제 제가 랠프와 결혼할 수 없는 이유를 아셨죠? 아, 전 그에게 이런 얘기를 고백할 용기가 없어요."

체스터 양이 말했다.

이런 경우, 그 어떤 동정보다 그녀에게 힘을 주고 그 어떤 연민보다 효과적인 것은 그 슬픔을 별로 대단치 않게 여기는 것처럼 보이는 일이었다.

"난 또 뭐라고! 겨우 그 정도야? 정말 어처구니없군. 난 아주 대단한 문제가 있나 보다 생각했지. 그 랠프라는 사람이 정말 훌륭한 청년이라면, 체스터 양의 집안 따위엔 신경쓰지 않을 거야. 내 말을 잘 들어봐, 체스터 양. 그 청년이 사랑하는 건 로즈 체스터라는 한 여자야. 지금 내게 털어놓은 것처럼 그에게도 솔직히 얘기해 봐. 그럼 아마 그런 일은 개의치 않고 체스터 양을 전보다 더욱 사랑하게 될걸."

신부가 말했다.

"전 그런 말을 할 수가 없어요. 전 그 사람과, 아니 다른 누구와도 결혼 같은 건 안할 거예요. 제겐 그럴 권리가 없으니까요."

체스터 양이 슬픈 표정으로 말했다.

그 때였다. 햇살이 내리비치는 길을 천천히 걸어오고 있는 긴 그림자가 두 사람의 눈에 띄었다. 그 옆에서 또 하나의 짧은 그림자가 깡충깡충 따라오고 있었다. 그 두 개의 그림자는 곧장 교회로 다가왔다. 긴 그림자는 오르간 연습을 하러 온 피비 서머스 양의 것이고, 짧은 그림자는 열두 살짜리 토미 티그의 것이엇다.

오늘은 토미가 피비 양을 위해 오르간에 공기를 펌프질해 주는 날이었다. 토미는 자랑스러운 듯 맨발로 길바닥의 먼지를 차올리고 있었다.

라일락 나뭇가지 무늬의 사라사 드레스를 입은 서머스 양의 어깨 위엔 돌돌 말린 머리칼이 아름답게 드리워져 있었다. 에이브럼 신부를 본 그녀는 무릎을 구부려 공손히 인사를 했다. 그리고 체스터 양에게는 돌돌 말린 머리칼을 흔들면서 가볍게 목례를 보냈다.

그런 다음, 그녀는 토미와 함께 층계를 걸어올라가 오르간이 있는 이층으로 갔다.

에이브럼 신부와 체스터 양은 짙어 가는 황혼 속에서 아직도 아래층을 떠나지 못하고 있었다. 두 사람 다 말이 없었다. 각기 자신의 추억에 잠겨 있는 듯했다. 체스터 양은 두 볼에 손을 괸 채 어딘가 먼 곳을 바라보고 있었다. 그 옆의 벤치 사이에 선 에이브럼 신부는 바깥 길과 낡은 오두막을 감개무량한 눈초리로 바라보았다.

바로 그 순간, 주위의 풍경이 확 변하여 에이브럼 신부를 20년 전으로 이끌었다. 토미가 펌프질을 하는 동안 오르간에 들어간 공기의 양을 알아보기 위해 서머스 양이 오르간의 저음부 건반을 계속 누르고 있었기 때문이다.

이제 에이브럼 신부에게 교회는 존재하지 않았다. 이 작은 목조 건물을 울리는 깊은 진동음은 그의 귀엔 오르간 소리가 아니라 낮게 붕붕거리는 물레방아 소리로 들렸다. 그에게는 틀림없이 물레방아가 돌고 있는 것으로 생각되었다. 지난날 산 속의 물레방앗간에서 밀가루를 온몸에 뒤집어쓴 그 유쾌한 방아꾼으로 되돌아간 느낌이었다.

벌써 저녁때였다. 조금 있으면 금빛 곱슬머리를 흩날리며 어글레이어가 저녁 식사를 하러 가자고 길을 가로질러 뛰어올 것이다. 에이브럼 신부의 눈은 오두막집의 기우뚱한 문에 못박혔다.

그 때 마침 또 한 가지 이상한 일이 일어났다. 에이브럼 신부의 머리 위 이층에는 밀가루 포대가 몇 줄로 길게 쌓여 있었는데, 쥐들이 그 중 하나에 구멍을 뚫어 놓은 듯 오르간 소리가 크게 울려 퍼지면서 그 진동에 의해 이층 마룻바닥 틈새로 밀가루가 쏟아져 내렸다. 그 때문에 에이브럼 신부는 머리에서 발끝까지 온통 새하얀 밀가루를 뒤집어썼다. 그러자 늙은 제분 공장 주인은 벤치의 통로로 나가 두 팔을 흔들며 예의 그 방아꾼의 노래를 부르기 시작했다.

물레방아 돌아가며

밀가루를 빻는다네.
밀가루를 뒤집어쓴
방아꾼은 즐거워라.

그 순간, 나머지 기적이 일어났다. 벤치에서 몸을 일으킨 체스터 양이 밀가루처럼 하얀 얼굴로 꿈을 꾸듯 눈을 크게 뜨고 에이브럼 신부를 바라보았다.

그러다가 그녀는 그에게 두 팔을 내밀었다. 그리고 떨리는 입술로 꿈꾸듯이 말했다.

"아빠, 덤스를 집에 데려다 줘요!"

서머스 양이 오르간의 저음부 건반에서 손을 떼었다. 그것으로 그녀는 자기 임무를 충실하게 완수한 것이다. 그녀가 낸 소리가 굳게 닫힌 기억의 문을 두들겨 부순 것이다. 에이브럼 신부는 되찾은 어글레이어를 두 팔로 꽉 껴안았다.

그 후에 어떻게 되었는지, 또 9월 어느 날 떠돌이 집시가 덤스의 귀여운 모습에 반해 납치해 갔을 때의 경위 등에 대해, 레이클런스를 찾는 사람들이라면 아마 구체적인 이야기를 들을 수 있을 것이다. 그러니까 이글 하우스 나무 그늘의 벤치에 편안히 앉을 때까지 그 자세한 내용을 미루어 두는 게 좋다. 그리고 여유 있는 기분으로 귀를 기울이는 것이 좋으리라. 내 얘기는 서머스 양의 힘찬 저음이 아직도 귓전을 울리고 있는 동안에 끝내는 게 좋을 듯싶다.

아무튼 이 이야기의 극적인 장면은, 에이브럼 신부와 그의 딸 어글레이어가 너무 큰 기쁨 때문에 말도 못하고 이글 하우스로 돌아갈 긴 황혼길에서 일어났으리라 생각된다.

어글레이어는 아직도 믿어지지 않는다는 듯 조금 망설이다 물었다.

"아버지, 아버진 돈이 많으신가요?"

"돈이 많으냐고? 그야 해석하기에 따라 다르지. 달님이나 또는 그와 비슷하게 비싼 걸 살 생각이 아니라면, 많다고 할 수도 있겠지."

제분 공장 주인이 말했다.

"애틀랜타에 전보를 치고 싶은데, 돈이 너무 많이 들까요?"

늘 정확하게 돈을 계산하며 살아온 어글레이어가 물었다.

"아……. 알겠다. 랠프를 부르고 싶은 거지?"

에이브럼 신부는 한숨을 내쉬며 말했다.

어글레이어는 방긋 웃으며 정답게 아버지를 쳐다보았다.

"그이에게 기다려 달라고 하려고요. 전 이제 가까스로 아버지를 찾았으니까요. 얼마 동안은 아버지와 단둘이 지내고 싶어요. 그러니까 그이에겐 좀 기다리라고 해야겠어요."

딸이 말했다.

봄철에 생긴 일

3월 어느 날이었다.

그러나 소설을 쓸 때 이런 식으로 서두를 꺼내면 안 된다. 아마 이렇게 서투른 서두는 없을 것이다. 상상력이 부족하고 평범하고 맛은 맛대로 없어서 그저 바람이 스쳐가듯 의미없는 소리가 될 우려가 있다. 하지만 이 경우에는 용납될 수 있을 것이다. 그것은, 원래 이 작품의 서두로 정해 놓은 다음의 한 구절을 아무 마음의 준비가 없는 독자 앞에 불쑥 들이대는 것은 지나치게 무례하고 몰상식한 일이 될 테니까.

새러는 메뉴를 앞에 놓은 채 울고 있었다.

메뉴 카드에 눈물을 떨어뜨리고 있는 뉴욕의 아가씨를 상상해 보라!

이 장면을 설명하기 위해 새우가 다 떨어졌기 때문이라든가, 사순절 동안 아이스크림이 금지되어 있기 때문이라든가, 값싼 양파 요리를 주문했기 때문이라든가, 아니면 방금 슬픈 연극을 보고 돌아왔기 때문이라든가, 어떤 식으로 상상하든 상관이 없다. 그런데 그런 상상이 모두 들어맞지 않았으니, 이 이야기를 진행시켜도 괜찮으리라고 생각한다.

'세상은 굴과 같으니, 나는 그것을 칼로 열리라.' 하고 선언한 신사는 생각보다 훨씬 큰 성공을 거두었다. 굴을 칼로 까는 것은 힘든 일이 아니다. 하지만 인생이라는 굴을 타이프라이터로 까려고 하는 사람을 본 적이 있는가?

새러는 그 다루기 힘든 무기를 가지고 가까스로 굴 껍데기를 비집고, 그 속에 있는 차갑고 단단한 알맹이를 아주 조금 맛볼 수 있었을 뿐이었다.

그녀는 상업 학교를 갓 나온 속기과 졸업생이었지만 속기를 제대로 못했다. 따라서 그녀는 사무소 인재들 축에 끼지 못한 채 프리랜서 타이피스트로서 잡동사니 일을 맡으며 돌아다니고 있었던 것이다.

새러가 세상과 싸워 나가는 가운데 가장 빛나고 영예스러운 일을 한 것은 슐렌버그 씨가 경영하는 레스토랑과 맺은 거래에서였다. 그 레스토랑은 그녀가 세들어 있는 낡은 벽돌집 바로 옆에 있었다.

어느 날 저녁, 새러는 슐렌버그 식당에서 다섯 가지 요리가 나오는 40센트짜리 정식(그것은 흑인 인형의 머리에 다섯 개의 공을 던져서 맞히는 놀이만큼 재빠르게 잇달아 나왔다.)을 먹고 나서, 메뉴 한 장을 가지고 집으로 돌아왔다. 그것은 영어인지 독일어인지 거의 알아볼 수 없는 펜글씨였다. 주의해서 보지 않으면 이쑤시개와 라이스 푸딩에서 시작해서 수프와 연월일로 끝나는 그런 순서로 배열되어 있었다.

이튿날, 새러는 슐렌버그 씨에게 예쁜 카드 한 장을 보였다. 그것은 '오드볼'에서 시작하여 '외투와 우산은 각자 주의해 주십시오.'라는 글자에 이르기까지, 요리의 종류가 정확하고 적절한 글씨체로 보는 사람의 식욕을 돋우도록 아름답게 꾸며져 있었다.

슐렌버그 씨와 헤어지기 전에 새러는 그가 자진해서 자기와 계약을 맺지 않을 수 없게 만들어 버렸다. 그리하여 그녀는 그 식당의 스물한 개의 테이블에 타이프라이터로 친 메뉴를 갖추어 놓게 되었다. 저녁 메뉴는 그날그날 새롭게, 아침과 점심의 메뉴는 요금이 달라지거나 그것이 더러워졌을 때 바꾸어 준다는 조건이었다. 그 보수로서 슐렌버그 씨는 날마다 세 끼의 식사를 웨이터, 그것도 가능한 한 예의바른 웨이터

를 시켜서 새러의 셋방까지 날라다 주게 하고, 오후에는 다음날의 슐렌 버그 식당 손님을 위해서 운명의 신이 정해 준 품목을 연필로 써서 그녀 손에 전해 주기로 했다.

이 계약의 결과에는 서로 만족했다. 슐렌버그 씨의 단골손님들은 자기들이 먹고 있는 요리의 내용에 가끔 어리둥절한 경우가 있었지만, 지금은 그 이름이 무엇인지 정확히 알게 되었다.

한편, 새러도 춥고 음산한 겨울 동안 끼니를 걱정하지 않아도 되었는데, 그것이야말로 그녀에게는 중요한 일이었다.

그러는 동안 달력은 거짓말을 하여 이미 봄이 왔다고 알렸다. 봄은 올 때에 오는 법이다. 1월에 내린 눈이 아직도 네거리마다 돌처럼 깔려 있었다. 아코디언은 여전히 1월의 경기와 기분을 가지고 '즐거웠던 그 여름'이라는 곡을 연주하고 있었다. 사람들은 부활절에 입을 옷을 사기 위해 한 달 뒤에 지불할 어음을 끊기 시작했다. 건물 관리인은 스팀을 끄기로 했다. 하지만 이런 일이 일어나고 있는 동안에도 거리는 아직 겨울의 손아귀에 있다고 볼 수 있다.

어느 날 오후, 새러는 '난방 완비, 대단히 깨끗함, 각종 시설 완비, 방문 환영'이라는 현관 옆의 아담한 방에서 덜덜 떨고 있었다. 그녀에게는 슐렌버그 씨의 메뉴 카드가 아니면 할 일이 없었다. 그녀는 삐걱거리는 버드나무 흔들의자에 앉아서 창밖을 내다보고 있었다.

벽의 달력은 그녀를 향해 소리치고 있었다.

'봄이 왔어, 새러! 정말 봄이 왔다니까. 나를 좀 봐, 내 모습이 그걸 알려 주고 있잖아. 새러, 너도 아름다워. 아름다운 봄의 모습이야. 그런데 너는 왜 그렇게 슬픈 표정으로 창밖만 내다보고 있지?'

새러의 방은 건물 뒤쪽에 있었다. 창밖으로는 건너편에 있는 상자 공장의 창문 없는 후면 벽돌담이 보일 뿐이었다. 하지만 새러에게는 그

벽이 투명한 수정이나 마찬가지였다. 그래서 새러의 눈에는 벚나무, 느릅나무 그늘이 있고, 딸기 숲과 체로키 장미로 가장자리가 장식된 풀이 무성한 오솔길이 비쳐 보였다.

지난 여름 새러는 시골에 간 일이 있었다. 거기서 그녀는 한 농부와 사랑을 했다(소설을 쓸 때 이렇게 되돌아가서는 안 된다. 이건 서투른 기교라서 흥미를 반으로 줄어들게 한다. 그냥 앞으로, 앞으로 진행시키는 것이 좋다).

새러는 서니브룩 농장에서 두 주일 동안 머물러 있었다. 거기서 그녀는 늙은 농부 프랭클린의 아들 월터와 사랑에 빠지게 되었다. 농부란 사랑을 하면 곧 결혼을 하고 선 자리에서 일터로 나가게 되는 것이 보통이었다.

그러나 월터 프랭클린은 현대적인 농업가였다. 그는 외양간에 전화까지 갖추어 놓았고, 또 다음 해의 캐나다 종자의 밀 수확이 달빛을 받지 못하는 곳에 심은 감자에 어떤 영향을 미치는지 정확하게 계산할 수 있었다.

월터가 사랑을 고백하고 그녀가 그것을 받아들인 것은 그 나무 그늘 아래 딸기가 많이 열려 있는 바로 그 오솔길에서였다. 두 사람은 거기에 나란히 앉아 새러의 머리를 장식할 민들레 화관을 짰다. 그는 그녀의 갈색머리에 노란 꽃이 정말 잘 어울린다고 마구 추켜올렸다. 새러는 머리에 그 화관을 얹은 채 밀짚모자를 흔들며 집으로 돌아왔다.

월터는 봄이 오면 바로 결혼하자고 말했다. 그래서 새러는 다시 도회지로 돌아와서 타이프라이터를 치게 되었던 것이다.

방문을 노크하는 소리에 새러의 행복했던 날의 꿈은 깨지고 말았다. 웨이터가 슐렌버그 노인의 거친 연필 글씨체로 된 식당의 내일 메뉴를 내밀었다.

새러는 타이프라이터 앞에 앉아서 롤러 사이에 카드를 끼웠다. 그녀는 비교적 손이 빠른 편이었다. 대략 1시간 반이면 스물한 장의 메뉴를 다 찍어낼 수 있었다.

오늘은 여느 때보다 메뉴에 변화가 많았다. 수프는 훨씬 산뜻해지고, 돼지고기가 요리 접시에서 빠져 나가고 러시아 소스와 함께 구운 고기가 간신히 얼굴을 내밀고 있었다. 봄의 아름다운 정기가 메뉴 전체에 스며들어 있었다. 얼마 전까지 푸른 산비탈에서 뛰놀던 새끼양이 그 뛰노는 모습을 기념하는 소스와 함께 등장했다.

굴에 대한 찬미는 완전히 사라진 것은 아니었으나, 차츰 기세가 꺾여 가고 있었다. 프라이팬은 고기 굽는 기계의 기묘한 막대기 뒤에 걸린 채 할 일이 없어진 것 같았다. 파이로 된 요리가 늘고 기름이 많은 푸딩은 자취를 감추었다. 옷을 갈아입은 소시지는 메밀과 사형 선고를 받은 달콤한 당밀과 함께 기분 좋은 죽음의 명상에 잠긴 채 가까스로 목숨을 잇고 있었다.

새러의 손가락은 여름 시냇물 위의 작은 곤충처럼 춤을 추었다. 그녀는 요리의 순서에 따라 정확한 눈으로 잰 각 품목을 적당한 위치에 끼워 넣으면서 타이프를 쳐 나갔다.

디저트 코스 바로 위에 야채 종류가 있었다. 당근과 완두, 아스파라거스, 다년생 토마토와 옥수수를 섞은 요리, 리마 콩, 양배추, 기타…….

새러는 메뉴를 보며 울고 있었다. 처절한 절망의 밑바닥에서부터 솟구쳐 오른 눈물이 눈에 괴었다. 그녀는 작은 타이프라이터 테이블 위로 고개를 떨어뜨렸다. 키는 그녀의 흐느낌에 반주를 하듯 덜컥덜컥 메마른 소리를 냈다.

새러는 벌써 두 주일째나 월터의 편지를 받아 보지 못했다. 메뉴의 다음 품목은 달걀 종류가 아니라 민들레였다. 월터가 그 노란 꽃으로 화관을 만들어 그녀의 머리에 씌워 줌으로써 그녀를 사랑의 여왕이자 미래의 신부로 삼아 준 민들레, 봄의 전조, 그녀의 슬픔의 왕관——그것은 그녀 일생의 가장 행복했던 날의 추억이었다.

봄은 얼마나 솜씨 좋은 마법사인가! 돌과 쇠로 된 이 거대하고 차가운 도시에도 봄소식은 찾아올 수밖에 없다. 그 소식을 전하는 것은 초라한 녹색 옷에 겸손한 태도를 지니고 추위에 강한 이 들판의 배달부이다. 민들레는 프랑스의 요리사들이 '사자의 이빨'이라고 하는데, 그야말로 참된 행복의 천사이다. 이 꽃은 사랑하는 사람의 갈색 머리를 장식하는 화관이 되어 사랑의 장면에 등장하고, 꽃이 피기 전에는 끓는 냄비 속에 들어가 봄의 여신의 말씀을 전한다.

이윽고 새러는 가까스로 눈물을 거두었다. 메뉴의 타이프를 끝내야 했기 때문이다. 그래도 잠시 동안은 민들레의 꿈이 발산하는 노란 불길에 싸인 채 젊은 농부와 함께 거닐던 목장 오솔길에 가 있어서, 타이프라이터의 키를 건성으로 누르고 있었다. 그러나 그녀의 마음은 곧 석조 건물로 에워싸인 맨해튼의 골목길로 재빨리 돌아왔다. 타이프라이터는 동맹 파업을 진압하는 자동차처럼 덜커덕거리며 튀기 시작했다.

여섯 시에 웨이터가 저녁 식사를 가지고 와서 타이프라이터로 친 메뉴를 가지고 갔다. 새러는 식사를 하면서 달걀을 위에 덮은 민들레 요리를 한숨과 함께 옆으로 밀쳐 버렸다. 아름다운 사랑의 비밀을 간직한 꽃이 보잘것없는 푸성귀가 되어 시커먼 덩어리로 변해 버린 것처럼, 여름날에 싹텄던 그녀의 희망도 이제 시들어 버렸다. 셰익스피어의 말처럼 사랑은 그 자체를 먹고 사는 것인지도 모른다. 그러나 새러는 난생 처음 맛본 진정한 사랑의 첫 만찬에 장식물로 등장했던 민들레를 먹을 기분이 나지 않았다.

일곱 시 반에 옆방의 부부가 싸움을 시작했다. 윗방의 남자는 플루트로 A음을 내려 애쓰고 있었다. 가스 나오는 상태가 약간 나빠졌다. 석탄을 실은 세 대의 차가 짐을 부리기 시작했다. 축음기가 부러워할 정도의 소리가 났다. 뒷담장의 고양이들은 후퇴하는 러시아 군처럼 슬금슬금 물러갔다. 그것을 신호로 해서 새러는 독서할 시간이 되었다는 것을 깨달았다.

그녀는 이 달에 가장 안 팔리는 책인 〈수도원과 가정〉을 꺼내어 트렁크에 두 다리를 올려놓은 채 주인공 제럴드와 함께 방황하기 시작했다.

바깥 대문의 벨이 울렸다. 안주인이 나갔다. 새러는 곰에 쫓긴 제럴드와 데니스가 나무 위로 올라가는 장면에서 책읽기를 멈추고 귀를 기울였다. 아마 여러분이라도 그럴 수밖에 없을 것이다!

아래층 홀에서 씩씩한 목소리가 들려왔다. 새러는 책을 마룻바닥에 내던져 일회전을 완전히 곰의 승리로 돌려놓고 출입문 쪽으로 나아갔다.

이쯤 되면 여러분도 짐작이 갈 것이다. 그녀가 층계 맨 위에 다다른 바로 그 때, 그녀의 농부는 세 단씩 층계를 뛰어올라와 이삭 하나도 남기지 않고 그녀를 거두어들였다.

"왜 편지를 안했어요? 네, 왜요?"

"뉴욕은 정말 큰 도시로군요. 나는 일주일 전에 당신의 그전 주소로 찾아갔어요. 거기서 당신이 목요일에 이사한 걸 알았소. 하지만 불안하진 않았어요. 그게 악운이 따라다닌다는 금요일이 아니었으니까요. 나는 경찰의 협조를 받거나 또는 다른 방법으로 당신을 찾느라 애를 썼소."

월터 프랭클린이 말했다.

"제가 편지를 드렸잖아요!"

"편지는 못 받았소."

"그런데 어떻게 절 찾았어요?"

젊은 농부는 봄철 같은 미소를 지으며 말을 이었다.

"오늘 저녁, 우연히 이 옆에 있는 레스토랑에 들어갔지요. 누가 들어도 상관없지만, 나는 해마다 이맘때가 되면 야채 요리가 먹고 싶어지거든요. 그래서 뭐 적당한 것이 없나 하고 깔끔하게 타이프친 메뉴를 훑어보았죠. '양배추'의 아래 글자를 본 순간, 나는 의자를 넘어뜨리면서 큰 소리로 주인을 불렀습니다. 그 주인이 이 집을 가르쳐 주더군요."

"이제 생각나요. 양배추 밑에 민들레가 있었어요."

새러는 행복한 듯 한숨을 쉬었다.

"이 세상 어디를 가도, 나는 그 W의 대문자가 줄 위로 튀어올라가는 당신의 타이프 치는 버릇을 분간할 수 있죠."

"어머, 민들레의 철자에는 W가 없는데."

새러가 놀라서 말했다.

청년은 주머니에서 메뉴를 꺼내어 어느 한 줄을 가리켰다.

새러는 그것이 그날 오후 자기가 가장 먼저 친 카드라는 것을 알았다. 카드의 오른쪽 위 구석에는 눈물이 떨어져 얼룩진 자국이 아직도 남아 있었다. 그런데 저 목장의 꽃이름이 적혀 있어야 할 자리에서 두 사람의 잊지 못할 노란 꽃의 추억이 그녀의 손가락으로 하여금 전혀 다른 키를 누르게 했던 것이다. 붉은 양배추와 속을 넣은 피망 사이에 다음과 같은 품목이 들어 있었다.

'삶은 계란이 든, 내 사랑 월터.'

개심 이후

교도소 안에 있는 구두 제조실에서 지미 발렌타인이 열심히 구두 가죽을 누비고 있을 때, 교도관이 들어와 그를 사무실로 데리고 나가 교도소장이 그날 아침 지사가 서명한 사면장을 그에게 주었다. 지미는 어딘가 찜찜한 표정으로 그것을 받았다. 그는 4년 언도를 받은 가운데 거의 10개월은 복역했다. 그는 길어야 3개월쯤 복역하면 되리라 생각했던 것이다. 지미 발렌타인처럼 바깥 세상에 많은 친구를 가지고 있는 사람은, 소위 콩밥을 먹어도 보통은 머리 깎는 시간만큼도 걸리지 않는다.

"발렌타인. 내일 아침에 여길 나가게. 힘을 내어 참다운 사람이 되어야 해. 자넨 바탕이 나쁘진 않으니, 앞으로 정직하게 살도록 하게."

교도소장이 말했다.

"내가 말인가요? 천만에요. 나는 평생 한 번도 금고털이를 한 일이 없습니다."

지미는 어이없다는 듯 말했다.

"아, 그렇겠지. 물론 그런 적 없겠지. 그렇다면 자넨 어떻게 스프링필드 사건에 관계되었지? 높은 지위에 있는 누군가에게 혐의를 돌리지 않으려고 알리바이를 대지 않았기 때문인가? 아니면 단지 자네를 가두어 버린 배심원의 비열한 양심 때문이란 말인가?"

교도소장이 웃으며 말했다.

"내가요? 소장님, 전 평생 스프링필드에 가 본 적이 없습니다."

지미는 여전히 어리둥절한 표정으로 말했다.

교도소장은 다시 웃었다.

"이자를 데리고 가게, 크로닌! 그리고 밖으로 나갈 때 입을 옷을 챙겨주게. 내일 아침 일곱 시에 대기실로 내보내도록. 발렌타인, 자네는 내가 아까 한 말 명심하라고."

다음 날 아침 일곱 시 십오 분에 지미는 교도소장이 있는 사무실에서 있었다. 강제로 수용한 손님을 석방할 때 주 당국에서 내주는 몸에 맞지 않는 기성복에 뻣뻣한 구두를 신고 있었다. 교도소 서기가 선량한 시민으로 돌아가 얌전하게 살아가기를 바라며 국가에서 주는 기차표와 5달러짜리 지폐 한 장을 지미에게 내주었다. 교도소장은 그에게 시가 한 대를 주며 악수했다.

9762번 죄수 발렌타인은 '주지사에 의한 사면'이라는 기록을 남기고 제임스 발렌타인으로서 햇빛을 보게 되었다. 새들의 노랫소리, 바람에 살랑거리는 푸른 나무, 꽃향기 같은 것은 아랑곳하지 않고 지미는 곧장 어느 식당으로 들어갔다. 거기서 그는 자유의 몸이 된 달콤한 첫 기쁨을 누렸다. 즉, 통닭구이와 백포도주 한 병, 그리고 교도소장이 준 것보다 고급인 시가 한 대를 피웠다. 그런 다음, 천천히 정거장을 향해 걸었다. 그는 정거장 문 옆에 앉아 있는 장님의 모자 속에 25센트짜리 한 닢을 던져 주고 기차에 올랐다.

세 시간 후, 그는 국도 근처의 어느 작은 마을에서 내렸다. 마이크 돌란이 경영하는 카페로 들어가 카운터 뒤에 있던 마이크와 악수를 했다.

"좀더 빨리 손을 쓰지 못해 미안하네, 지미. 스프링필드에서 굉장한 반발이 있어서 하마터면 지사가 생각을 바꿀 뻔했다네. 그래, 건강은 어떤가?"

마이크가 물었다.

"괜찮아. 내 열쇠는 어디 있지?"

"여기 있네."

지미는 열쇠를 받아들고 이층으로 올라가 안쪽에 있는 방의 문을 열었다. 모든 것이 그가 떠날 때 그대로였다. 바닥에는 형사들이 지미를 체포하기 위해 엎어누르고 팔을 비틀 때, 명탐정 벤 프라이스의 셔츠에서 떨어진 흰 단추가 아직도 뒹굴고 있었다.

지미는 벽에서 간이 침대를 꺼내고 벽장을 열어 먼지가 뽀얗게 앉은 슈트케이스를 꺼냈다. 그것을 열고 동부에서는 유일하다고 할 수 있는 절도용 연장 한 세트를 황홀한 듯이 들여다보았다. 그것은 특별히 단련된 강철로 만든 최신형 드릴과 펜치, 큰 송곳과 조립식 쇠지레, 집게장도리와 나사송곳, 그리고 그 자신이 고안한 연장도 서너 개 섞여 있었다. 이 연장들은 지미 같은 직업을 가진 사람들을 위해 특별히 만들어진 것인데, 모두 합해서 9백 달러나 들었다.

반 시간 후, 지미는 아래층으로 내려가 카페로 들어갔다. 이제는 멋지고 몸에 잘 맞는 옷을 입고 손에는 먼지를 깨끗이 턴 그 슈트케이스를 들고 있었다.

"무슨 일을 할 생각인가?"

마이크 돌란이 조용히 물었다.

"나 말인가? 무슨 말이야? 나는 뉴욕의 해피 쿠키 회사의 사원인데."

지미는 어리둥절한 표정으로 말했다. 그 말은 마이크를 무척 기쁘게 만들었다. 덕분에 지미는 그 자리에서 밀크를 탄 셀처 소다수를 한 잔 얻어 마셨다. 그는 결코 '강한' 음료는 입에 대본 일이 없었다.

9762번 죄수 발렌타인이 석방된 지 일주일 후, 인디애나 주 리치먼드에서 금고털이 사건이 일어났다. 그러나 범인에 대해서는 전혀 알 수

없었다. 잃어버린 돈은 불과 8백 달러였다. '두 주일이 지나자, 이번에는 로갠스포트에서 도난 방지 특허를 받은 개량형 금고가 치즈처럼 간단히 열려 현금 1천5백 달러가 없어졌다. 그러나 증권과 은에는 손도 대지 않았다. 그것이 형사들의 흥미를 끌기 시작했다.

다음에는 제퍼슨 시의 어느 구식 은행의 금고가 활동을 시작하여, 그 분화구에서 약 5천 달러에 달하는 금액을 내뿜고 말았다. 이번에는 그 피해가 커서 벤 프라이스급의 명탐정이 취급할 만큼 문제가 커졌다. 조사서를 비교해 보니, 이 몇 가지 도난 사건의 방법은 아주 비슷한 데가 있었다. 도난 현장을 조사한 후, 벤 프라이스는 다음과 같은 말을 했다.

"이건 틀림없이 거물 지미 발렌타인이 직접 한 장난입니다. 그자가 활동을 시작한 거죠. 저 조직적인 솜씨를 보세요. 마치 궂은 날 무 뽑듯 힘 안 들이고 열었잖습니까? 그자가 아니면 저런 짓을 할 만한 연

장을 가진 자가 없어요. 그리고 저 금고의 쇠판에 얼마나 구멍이 곱게 뚫려 있는지 보십시오. 지미는 절대로 구멍을 한 개 이상 뚫지 않습니다. 그래요, 나는 발렌타인에게 흥미가 있습니다. 이번만은 10년 동안 교도소에 있도록 만들겠어요."

벤 프라이스는 지미의 수법을 꿰뚫어 보고 있었다. 스프링필드 사건을 조사하는 동안 알게 되었던 것이다. 멀리 뛰기, 빨리 달아나기, 단독 범행——그런 방법들이 발렌타인의 이름을 드높이는 데 도움이 되었다. 벤 프라이스가 이 이름난 금고털이의 뒤를 캔다는 소문이 퍼지자, 도난 방지 금고를 가진 사람들은 비로소 안도의 숨을 내쉬었다.

어느 날 오후, 아칸소 주 블랙 잭을 지나는 철도에서 5마일쯤 떨어진 작은 도시 엘 모어에서 지미 발렌타인이 그 슈트케이스를 들고 마차에서 내렸다. 그는 방학으로 막 귀향하는 젊은 대학생 같은 운동복 차림으로 호텔을 향해 걸어갔다.

한 젊은 여자가 길을 건너와 모퉁이에서 그를 앞질러 '엘 모어 은행'이라는 간판이 있는 출입문으로 들어갔다. 그녀의 눈을 보는 순간, 지미 발렌타인은 자신을 잊고 영 딴 사람이 되어 버렸다. 그녀는 눈을 내리깐 채 얼굴을 약간 붉혔다. 엘 모어에는 지미와 같은 스타일, 외모를 가진 청년은 보기 힘들었다.

그는 마치 주주의 한 사람처럼 오만한 태도로 은행 정면의 계단에서 서성거리는 소년 하나를 붙잡고, 이따금 10센트짜리 한 닢씩을 쥐어 주면서 이 고장에 관해 질문을 했다. 그러고 있는데, 그 젊은 여자가 은행에서 나왔다. 그녀는 슈트케이스를 든 청년 따위는 관심 밖이라는 표정으로 걸어가 버렸다.

"저 여자는 폴리 심프슨 아냐?"

지미는 시치미를 떼고 물었다.

"아녜요. 저 여자는 애너벨 아담스예요. 아버지가 이 은행 주인이죠. 그런데 아저씨는 무슨 일로 엘 모어에 오셨어요? 그 시곗줄 금이에요? 난 불도그를 사고 싶은데, 10센트 더 없어요?"

소년이 물었다.

플랜터스 호텔로 간 지미는 랠프 D. 스펜서라고 숙박부에 적고 방을 예약했다. 그리고 프런트에 기대어 사무원에게 자기의 계획을 이야기했다. 그는 장사할 장소를 구하러 엘 모어에 왔다고 말했다. 여기서 구둣방을 차리면 어떨까? 구둣방을 한번 해 볼 생각인데, 장래성이 있을까?

사무원은 지미의 옷차림과 태도에 호감을 가졌다. 그 자신도 엘 모어의 젊은 멋쟁이들 사이에서는 유행의 본보기가 되어 있었으나, 지미 앞에서 자기의 결점을 깨달았다. 그는 지미의 넥타이 매는 법을 눈여겨보면서 친절하게 정보를 제공했다.

"네, 구둣방이라면 충분히 장래성이 있습니다. 이 고장에는 구두 전문점이 없으니까요. 양복점과 잡화상에서 구두까지 취급하고 있지요. 무슨 장사든 괜찮을 겁니다. 엘 모어에서 자리를 잡도록 하세요. 이곳은 살기에 좋고 사람들도 퍽 친절하답니다."

스펜서 씨는 이 마을에 2, 3일 정도 묵으면서 실정을 살펴봐야겠다고 말했다.

"아니, 보이를 부를 필요는 없소. 이 슈트케이스는 내가 들고 가겠소. 좀 무겁거든요."

지미 발렌타인의 잿더미, 곧 갑작스럽고 변덕스러운 사랑의 불길로 인해 타다 남은 잿더미에서 일어선 불사조 랠프 스펜서 씨는 엘 모어에 머물러 성공했다. 구둣방을 차려 많은 돈을 벌었던 것이다.

사회적으로도 성공하여 많은 친구가 생겼다. 그리고 마음 속의 소망도 이루었다. 애너벨 아담스 양을 만나 차츰 그녀의 매력에 사로잡히게 되었던 것이다.

1년 후, 랠프 스펜서 씨의 상태는 다음과 같았다. 즉, 그는 세상의 존경을 얻었고, 구둣방은 번창했다. 그리고 애너벨 양과는 2주일 후에 결혼하기로 약속이 되어 있었다. 전형적 노력가인 시골 은행가 아담스 씨는 스펜서에게 홀딱 반해 버렸다. 그에 대한 애너벨 양의 사랑도 그의 사랑에 못지않았다. 그는 아담스 씨의 집에서나 결혼한 애너벨의 언니 집에서나 한식구처럼 허물없이 지내게 되었다.

어느 날, 그는 자기 방에 들어앉아 한 통의 편지를 썼다. 그 편지는 센트루이스에 있는 옛 친구 중에서 안전한 친구의 주소로 붙이는 것이었다.

    그리운 옛 친구에게

오는 수요일 밤 9시, 리틀로크의 설리번네 집에 와 주기 바라네. 긴히 의논할 일이 있네. 그리고 내 연장을 모두 자네에게 주고 싶네. 자네는 그것을 기꺼이 받아 줄 것으로 믿네. 1천 달러를 줘도 그와 똑같은 것을 만들지는 못할 거야.

빌리, 나는 전에 하던 장사에서는 손을 떼었네. 1년 전부터 말일세. 대신 좋은 가게를 하나 가지고 있지. 나는 정말 착실한 생활을 해 나가고 있어. 2주일 후면 이 세상에서 가장 아름다운 여자와 결혼하게 되어 있네.

빌리, 이것이 내가 살아가는 유일한 길이야. 즉, 바른 생활 말일세. 이제는 백만 달러를 준다 해도 남의 돈이라면 한 푼도 손대고 싶지 않아. 결혼하면 상점을 팔고 서부로 갈 생각일세. 거기라면 누가 옛날의 상처를 들추어 내는 일도 없겠지.

빌리, 그녀는 정말 천사 같은 여자일세. 나를 굳게 믿고 있지. 나는 무슨 일이 있어도 다시는 나쁜 짓은 하지 않겠네.

설리번네로 꼭 와 주게. 자네를 만나야 해. 그 때 연장을 가지고 가겠네.

옛 친구 지미가

지미가 이 편지를 부친 후 월요일 밤, 벤 프라이스가 전세 마차로 남의 눈에 띄지 않게 엘 모어에 도착했다. 그는 조용히 시내를 돌아다니며 알고 싶은 것을 다 알아 냈다. 그는 길 하나를 사이에 두고 스펜서의 구둣방 맞은편에 있는 약국에서 랠프 스펜서를 찬찬히 관찰했다.

"지미가 은행가의 딸과 결혼한다지? 그러면 어떻게 되는 거지?"

벤은 혼잣말로 중얼거렸다.

다음 날 아침, 지미는 아담스 씨 댁에서 아침 식사를 했다. 그는 이

날 예복도 맞추고 애너벨에게 줄 멋진 선물도 사기 위해 리틀로크로 떠나게 되어 있었다. 엘 모어에 온 후로 먼길을 떠나기는 처음이었다. 마지막으로 그 '본업'을 하고 난 지 1년이 지났으므로, 이제는 용기 있게 길을 떠나도 상관없겠지 하고 생각했던 것이다.

식사가 끝난 후, 가족 모두가 시내로 나갔다. 즉, 아담스 씨, 애너벨, 지미, 그리고 다섯 살, 아홉 살짜리 두 딸을 데리고 나온 애너벨의 언니는 지미가 묵고 있는 호텔 앞에 도착했다. 지미는 자기 방으로 뛰어올라가 그 슈트케이스를 들고 내려왔다. 그리고 그들은 함께 은행으로 갔다. 거기에는 지미를 정거장까지 데려다 줄 말과 마차, 그리고 마부 돌프 깁슨이 기다리고 있었다.

일행은 조각을 한 높다란 떡갈나무 난간 안쪽에 있는 은행 사무실로 들어갔다. 물론 지미도 함께였다. 아담스 씨의 예비 사위는 어디서나 환영을 받았기 때문이다. 은행원들은 애너벨 양과 결혼하게 되어 있는 이 상냥한 미남의 인사를 받고 무척 좋아했다. 지미는 슈트케이스를 내려놓았다.

행복과 발랄한 젊음으로 가슴이 부풀어 있던 애너벨은 지미의 모자를 쓰고 그 슈트케이스를 들어 보았다.

"제가 멋진 세일스맨으로 보이지 않나요? 어머, 랠프! 이 슈트케이스는 왜 이렇게 무겁죠? 금덩어리라도 잔뜩 들어 있는 것 같아요."

애너벨이 말했다.

지미는 시치미를 뗐다.

"그 속에는 니켈로 된 구두 주걱이 가득 들어 있거든요. 그건 도로 반품할 겁니다. 들고 가면 운송료가 절약될 것 같아서요. 나도 이제 꽤 절약가가 되었습니다."

마침 엘 모어 은행은 막 새로운 지하 금고를 만들고 있었다. 아담스 씨는 그것을 대단히 자랑스럽게 생각하고 있었으므로, 누구에게나 구경을 시키고 싶어했다. 지하 금고는 규모가 작았으나, 새로 특허를 받은 문이 달려 있었다. 그것은 손잡이 하나로 동시에 조작할 수 있는 커다란 세 개의 강철 빗장으로 닫히게 되어 있고, 게다가 시한 장치 자물쇠가 붙어 있었다.

아담스 씨는 기쁨에 넘친 얼굴로 그 조작법을 스펜서 씨에게 설명해 주었다. 스펜서 씨가 보인 관심은 정중한 것이었으나, 별로 흥미를 느끼는 것 같지는 않았다. 메이와 애거서 두 아이는 번쩍이는 금속과 장난감 같은 시한 장치와 손잡이를 보고 재미있어했다.

모두가 그 지하 금고에 정신이 팔려 있는 사이에 벤 프라이스가 은행 안으로 슬며시 들어와, 두 손으로 턱을 괸 채 난간 사이로 안쪽을 유심히 들여다보고 있었다. 그는 안내인에게, 별다른 볼일이 있는 것은 아니고 다만 아는 사람을 기다리고 있는 중이라고 말했다.

바로 그 때 여자들의 찢어지는 듯한 비명 소리가 한두 마디 들려 오더니, 이어 큰 소동이 벌어졌다. 어른들이 안 보는 사이에 아홉 살짜리 메이가 장난삼아 애거서를 지하 금고에 가두어 버렸던 것이다. 그리고 아담스 씨가 보여 준 대로 빗장을 내리고 연쇄식 자물쇠의 다이얼을 돌려 버린 것이다.

늙은 은행가는 손잡이에 달라붙어 잠시 그것을 움직여 보다가 신음하듯 말했다.

"문이 안 열려! 시계는 태엽을 감아 두지 않았고, 연쇄식 자물쇠도 맞춰 놓지 않았어!"

애거서의 어머니가 미친 듯 다시 울부짖었다.

떨리는 손을 쳐들며 아담스 씨가 말했다.

"진정해! 모두들 잠시 조용히 해요. 애거서! 내 말 안 들리니?"

그는 목청껏 소리쳤다.

침묵이 흐르는 가운데 일동은 캄캄한 금고 속에서 공포에 질려 마구 울부짖는 어린아이의 음성을 희미하게 들을 수 있었다.

어머니가 울부짖었다.

"아아, 내 소중한 딸! 저 애는 아마 놀라서 죽고 말 거예요! 어서 문을 열어 줘요! 문을 부수고 열어요! 남자분들이 어떻게 손을 쓰면 안 될까요?"

"이 문을 열 수 있는 사람은 리틀로크까지 가야 있단 말이야! 큰일이로군! 스펜서, 이 일을 어쩌면 좋겠나? 저 애는……. 저기서는 오래 견디지 못할 거야. 공기도 별로 없고, 게다가 놀라 기절할지도 몰라."

아담스 씨가 떨리는 목소리로 말했다.

반은 미친 사람처럼 된 애거서의 어머니가 지하 금고 문을 마구 두드리고 있었다. 누군가 다이너마이트를 사용하자는 무서운 제안을 했다. 애너벨은 지미를 바라보았다. 그 눈은 근심에 차 있었으나, 아직 절망은 보이지 않았다. 여자에게 있어서 자기가 숭배하는 남자의 힘으로 불가능한 일이란 아무것도 없는 것이다.

"당신, 어떻게 할 수 없어요? 어떻게 좀 해 보세요, 랠프."

그는 입술 언저리와 날카로운 눈에 묘하게 부드러운 미소를 띠며 그녀를 바라보았다.

"애너벨, 당신이 꽂고 있는 그 장미를 내게 줘요."

그가 말했다.

그녀는 잘못 듣지 않았나 의심하면서 웃옷 가슴에 핀으로 꽂은 장미 송이를 뽑아 스펜서에게 건네주었다.

지미는 그것을 조끼 주머니 속에 넣었다. 그런 다음, 저고리를 벗어던지고 와이셔츠 소매를 걷어올렸다. 그 동작과 동시에 랠프 스펜서란 인물은 사라지고, 대신 지미 발렌타인이 나타났다.

"모두 문 앞에서 비키십시오."

그는 짤막하게 명령했다.

그는 슈트케이스를 테이블 위에 올려놓고 그것을 반듯이 펴 놓았다. 그 순간부터 그의 머릿속에는 다른 사람들에 대한 생각이 전혀 없는 것 같았다. 일을 손에 잡으면 언제나 그렇듯이, 그는 조용히 휘파람을 불며 번쩍거리는 기묘한 도구를 재빨리 꺼내어 순서대로 늘어놓았다. 다른 사람들은 숨을 죽인 채 마치 도깨비에 홀린 것처럼 그를 지켜보았다.

1분 후, 지미가 애용하는 드릴이 강철문으로 미끄러지듯 스르르 파고 들어갔다.

10분이 지났을 때, 그는 지금까지의 금고 여는 기록을 깨뜨리고 빗장을 들어올려 문을 열었다.

거의 기진해 있었으나, 애거서는 무사히 어머니의 품에 안겼다.

지미 발렌타인은 웃저고리를 주워 입고 은행 정문을 향해 난간 밖으로 걸어나갔다. 걸어가면서 그는 멀리서 귀에 익은 목소리가 '랠프!' 하고 부른 것 같은 생각이 들었다. 그러나 그는 조금도 걸음을 늦추지 않았다.

정문에서 커다란 사나이가 앞을 막았다.

"여어, 벤! 마침내 만나게 되었군. 자, 함께 가세. 이젠 아무래도 괜찮으니까."

지미는 아직 묘한 미소를 띤 채 말했다.

그러나 벤 프라이스는 전혀 뜻밖의 반응을 보였다.

"아니오. 잘못 보신 것 같군요, 스펜서 씨. 나는 당신을 알지 못합니다. 마차가 지금 당신을 기다리고 있잖소."

벤 프라이스는 발길을 돌려 천천히 거리 저쪽으로 사라졌다.

크리스마스 선물

　1달러 87센트. 이게 다였다. 그것도 60센트는 1센트짜리였다.

　지독하게 물건 값을 깎다 보니 스스로도 너무하다는 생각이 들어 얼굴을 붉히면서까지 식료품 가게 주인, 야채상, 정육점 주인을 괴롭히면서 한 푼 두 푼 모은 것이었다. 델라는 세 번이나 돈을 세어 보았다. 돈은 여전히 1달러 87센트였다.

　그런데 내일은 크리스마스다. 그저 초라하고 작은 침대에 파묻혀 엉엉 우는 것 말고 무슨 수가 있겠는가. 그래서 델라는 침대에 뛰어올라가 울기 시작했다. 이런 때면, 인생이란 눈물과 미소로 점철된 것이라는 말이 생각난다. 하기야 훌쩍거리는 때가 더 많지만……

　격한 감정이 가라앉자 흐느낌이 훌쩍이는 소리로 변했다. 잠시 후, 안주인은 천천히 방 안을 둘러보았다. 가구를 포함한 집세가 주당 8달러. 이 아파트는 아주 형편없는 곳은 아니었지만, 거지들이 찾아들지 않을까 걱정될 정도로 초라했다.

　아래층 현관에는 우편함이 하나 있긴 했으나, 이 집에 편지가 온 일이라곤 한번도 없었다. 또 초인종도 있었지만 누구 한 사람 눌러 본 적이 없었다. 거기엔 또 '제임스 딜링햄 영'이라는 명함이 붙어 있었다.

　'딜링햄'이란 이름자는 주인이 주급 30달러를 받아 형편이 좋던 시절에는 산들바람에 광채를 띠며 휘날렸으나, 이제 주급 20달러로 수입이 줄어들자 글자 자체가 겸손하여 눈에 띄지 않는 D자 하나로 줄어들기를 심각하게 고려하고 있는 것처럼 보였다. 아무튼 제임스 딜링햄 영씨가 집에 돌아와 이층으로 올라오면, 이미 여러분에게 델라라고 소개되어 있는 제임스 딜링햄 영 부인께서 '짐!' 하고 다정하게 부르며 그를 따뜻하게 안아 준다. 이건 참으로 흐뭇한 광경이 아닐 수 없다.

델라는 눈물을 닦고 분첩으로 뺨을 두드렸다. 그녀는 창가에 서서 음산한 뒤뜰의 담장 위를 걸어가는 잿빛 고양이를 맥없이 바라보고 있었다. 내일이 크리스마스인데 짐에게 줄 선물을 살 돈이 겨우 1달러 87센트밖에 없다. 벌써 몇 달 동안 한 푼 두 푼 모은 돈이 그것뿐이었다. 일주일에 20달러 가지고는 어쩔 도리가 없었다. 지출은 언제나 그녀가 생각한 것보다 많았다.

사랑하는 남편의 선물을 살 돈이 겨우 1달러 87센트. 그녀는 몇 시간 동안이나 남편을 위해 무엇인가 좋은 선물이 없을까 궁리하면서 즐거운 시간을 보냈던 것이다. 귀하고 값비싼 선물——남편이 가지고 있으면 영광스러울 만한 그런 가치 있는——을 궁리해 보았던 것이다.

창문과 창문 사이에 거울이 하나 있었다. 8달러짜리 셋방에 걸려 있는 거울이라면 아마 짐작이 되겠지만, 아주 몸이 야위고 날쌘 사람이라면 얼굴을 모로 돌림으로써 자기 얼굴의 대강의 윤곽이나마 잡을 수 있는 그런 거울이었다. 델라는 몸이 야윈 편이었기 때문에 그런 기술을 잘 터득하고 있었다.

그녀는 재빨리 창가에서 물러나 거울 앞에 섰다. 그녀의 눈은 맑게 빛나고 있었으나, 얼굴에서는 자기도 모르게 핏기가 가셨다. 그녀는 긴 머리를 풀어 어깨 위로 늘어뜨려 보았다.

제임스 딜링햄 영 부부에게는 두 가지 대단한 자랑거리가 있었다. 하나는 짐의 할아버지 때부터 물려 내려온 금시계였고, 다른 하나는 델라의 머리카락이었다. 만일 시바의 여왕이 통풍구를 사이에 둔 옆집에 살고 있었다면, 그리고 델라가 창 밖으로 그 윤기 흐르는 머리칼을 내놓았다면, 여왕의 금은 보석과 그 미모는 당장 빛을 잃었을 것이다.

또 만일 솔로몬 왕이 이 집 관리인이 되어 지하실에 보물을 산더미처럼 가지고 있었다면, 짐은 그 앞을 지나갈 때마다 자기 시계를 꺼내어 왕으로 하여금 샘이 나서 수염을 자꾸 쓰다듬게 만들었을지도 모른다.

그렇게 아름다운 델라의 머리카락이 그 어깨 위에 늘어져 빛나는 모습은 마치 황금의 폭포가 잔물결을 일으키고 있는 것 같았다. 머리칼은 무릎 아래까지 내려와 마치 옷처럼 그녀를 감싸고 있었다.

이윽고 그녀는 불안한 듯 다시 머리를 재빨리 빗어올렸다. 그러다가 머뭇거리면서 그 자리에 가만히 서 있었는데, 다 해진 붉은 양탄자에 눈물이 한두 방울 떨어졌다.

그녀는 낡은 갈색 재킷에 갈색 모자를 쓰고 눈에는 여전히 눈물이 괸 채 스커트 바람을 내며 방문을 나서서 계단을 내려가 거리로 나갔다. 그녀가 걸음을 멈춘 곳은 '마담 소프로니 상점, 각종 미용 이발용품상'이라는 간판이 붙은 집 앞이었다. 단숨에 계단을 뛰어올라간 델라는 가쁜 숨을 몰아쉬며 정신을 가다듬었다.

큰 몸집에 흰 살갗, 쌀쌀맞은 인상의 마담은 '소프로니'라는 귀여운 이름과는 전혀 어울리지 않았다.

"제 머리카락을 사시겠어요?"

델라가 물었다.

"물론 사죠. 모자를 벗고, 어디 한번 보여 주시지."

마담이 말했다.

갈색의 폭포가 스르르 흘러내렸다.

"20달러."

마담은 능숙한 솜씨로 머리채를 만지면서 말했다.

"얼른 계산해 주세요."

델라가 말했다.

아아, 그 후 두 시간은 꿈같이 흘러갔다. 이런 어울리지 않는 표현은 잊어버리자! 그녀는 짐에게 줄 선물을 사기 위해 온 상점을 쏘다녔다.

마침내 그녀는 그것을 찾아냈다. 그것은 그야말로 짐만을 위해서 만들어진 것 같았다. 어떤 상점에도 그런 것은 달리 없었다. 사실 그녀는 모든 상점을 샅샅이 뒤지고 다녔던 것이다.

그것은 백금으로 된 시곗줄로, 모양은 간결하고 산뜻했고, 모든 좋은 물건들이 그렇듯이 속된 장식물이 아니라 품질만으로 값이 나가는 그런 종류의 물건이었다. 게다가 짐의 시계에 잘 어울릴 것 같았다. 그녀는 그것을 보자마자 곧 자기 남편에게 맞는 것임을 알았다. 그것은 꼭 짐과 닮았다. 무게 있고, 귀하고——이것은 사람과 물건에 다 들어맞는 형용사이다. 그 시곗줄은 21달러였다.

그녀는 나머지 87센트를 가지고 집을 향해 서둘러 걸었다. 이 시곗줄을 시계에 매기만 하면 짐은 어떤 모임에 가서라도 부끄럽지 않게 시계를 꺼내 볼 수 있을 것이다. 시계는 더할 수 없이 훌륭한 것이었지만, 쇠줄 대신 낡은 가죽끈을 매고 있었기 때문에 다른 사람 눈치를 보며 시계를 몰래 꺼내 보곤 했던 것이다.

집에 돌아오자 델라는 황홀했던 기분이 가라앉으면서 침착하고 냉정해졌다. 그녀는 머리를 지지는 컬 아이론을 꺼내고 가스등을 켠 다음, 사랑과 희생이 남긴 상처를 손질하기 시작했다. 사랑과 희생이란 언제나 몹시 요란한 일이다. 거창한 일이다.

40분쯤 지나자, 그녀의 머리는 짧게 지져 붙여져 마치 개구쟁이 남학생 같은 얼굴이 되었다. 그녀는 거울에 비친 자기 모습을 오랫동안 자세히 들여다보았다.

"만약 짐이 나를 죽이지만 않는다면, 아마 나더러 코니 아일랜드에 있는 합창단의 소녀 같다고 할 거야. 하지만 단돈 1달러 87센트를 가지고서야 난들 어떻게 할 수가 있겠어!"

그녀는 혼잣말을 했다.

일곱 시에 커피를 끓이고 스토브 위에 프라이팬을 얹고 포크찹 만들 준비를 했다.

짐은 늦게 오는 일이 없었다. 델라는 시곗줄을 손에 접어든 채 짐이 늘 들어오는 문 가까이의 식탁 모퉁이에 앉아 있었다.

이윽고 아래층 계단을 올라오는 발소리가 들렸다. 그 순간, 그녀의 얼굴은 하얗게 질렸다. 그녀는 아무것도 아닌 일상 생활의 일들에 관해서도 마음 속으로 기도를 드리는 버릇이 있었는데, 지금 그녀의 기도는 '하느님, 제발 남편이 여전히 저를 예쁘다고 생각하게 해 주세요.' 하는 것이었다.

문이 열리고 짐이 들어왔다. 그는 몹시 여위고 우울해 보였다. 이 가엾은 친구는 겨우 스물두 살인데, 한 가정을 꾸려 가는 일에 괴로움을 겪고 있는 것이다. 그는 새 외투가 필요했고 장갑도 없었다.

짐은 문 안에 들어서자 메추라기의 냄새를 맡은 사냥개처럼 꼼짝도 하지 않고 서 있었다. 그의 시선이 델라에게 가서 멎었다. 그의 눈에는 그녀가 헤아릴 수 없는 표정이 어려 있어서 그녀를 두렵게 했다. 그것은 분노도 놀라움도 실망도 공포도 아니었다. 그녀가 짐작하고 있던 어떤 감정의 표현도 아니었다. 그는 그 독특한 표정으로 그녀를 뚫어지게 바라보고 서 있었다.

그녀는 천천히 식탁에서 몸을 일으켜 짐에게로 가서 소리쳤다.

"여보! 저를 그런 눈으로 보지 마세요. 당신에게 크리스마스 선물을 드리지 않고는 견딜 수가 없어서 머리카락을 잘라 팔았어요. 머리야 또 자라지 않겠어요? 그렇지요? 전 그렇게 할 수밖에 없었어요. 제 머리는 아주 빨리 자라는걸요. 여보, 어서 '메리 크리스마스'라고 해 줘요. 그리고 유쾌하게 지내요, 우리. 아마 당신은 짐작도 못하실 거예요. 제가 얼마나 멋진 선물을 샀는지 말예요."

"당신, 머리카락을 잘랐단 말이지?"

아무리 애를 써도 아직 이 엄연한 사실을 믿지 못하겠다는 듯 짐이 더듬거리면서 물었다.

"머리카락을 잘라서 팔았어요. 하지만 당신은……. 이 일로 나를 사랑하지 않는 건 아니겠죠? 머리카락이 없어도 전 여전히 당신 아내란 말예요. 그렇지요?"

짐은 이상하다는 듯 방 안을 둘러보았다.

"당신 머리카락이 없어졌단 말이지?"

그는 거의 얼빠진 표정으로 말했다.

"찾아봐야 소용없어요. 팔았다고 했잖아요. 여보, 오늘은 크리스마스 이브예요. 제발 상냥하게 대해 주세요. 머리카락은 당신을 위해 팔았으니까요. 내 머리카락은 셀 수 있을지 몰라도 당신에 대한 내 사랑은 누구도 셀 수 없어요."

그리고 델라는 아주 다정한 목소리로 말했다.

"포크찹을 드릴까요, 여보?"

짐은 문득 얼빠진 상태에서 깨어난 것 같았다. 그는 델라를 껴안았다. 한 10초 동안 우리는 돌아앉아서 이것과는 관계가 없는 어떤 문제를 자세히 조사해 보기로 하자. 일주일에 8달러와 일 년에 백만 달러—여기에는 어떤 차이가 있는가? 수학자가 주는 답은 이 경우엔 맞지 않는다. 동방 박사들은 귀한 선물을 가지고 왔지만, 그들의 선물 속에도

그 해답은 들어 있지 않았다. 이 엉뚱한 이야기는 나중에 밝혀질 것이다.

짐은 외투 주머니에서 상자 하나를 꺼내어 식탁 위에 던지며 말했다.

"델라, 오해는 말아요. 당신이 머리를 깎든 머리를 감든 그런 것이 당신에 대한 내 사랑을 변하게 할 수는 없소. 하지만 저 상자를 풀어 보면 내가 왜 한동안 얼빠진 것처럼 서 있었는지 이해하게 될 거야."

하얗고 재빠른 손가락이 끈과 포장지를 풀어 헤쳤다. 그러자 기뻐서 어쩔 줄 몰라하는 소리가 터져 나왔다. 뒤이어 가엾게도, 갑작스러운 여성의 신경질적인 통곡이 시작되는 바람에 이 방의 주인은 있는 힘을 다해서 위로하지 않을 수 없었다.

눈앞에 놓여 있는 것은 머리핀이었다——델라가 오래 전부터 브로드웨이의 쇼윈도에 놓인 것을 부럽게 바라보기만 하던 것, 좌우에 빗살이 달린 머리핀 한 세트였다. 가장자리에 보석을 박고 진짜 대모갑으로 만든 아름다운——지금은 잘라 버린 그 아름다운 머리채에 꽂으면 너무도 잘 어울릴 핀이었다. 워낙 값이 비싸서 그녀는 감히 가져 볼 생각도 못한 채 그저 안타깝게 바라보기만 하던 물건이었다.

그러던 것이 이제 자기 물건이 되었는데, 그 기다리던 장식물에 빛을 주어야 할 머리카락이 사라져 버린 것이다.

그러나 그녀는 그 한 쌍의 핀을 가슴에 품었다. 한참 만에 그녀는 눈물어린 눈으로 짐을 쳐다보며 말했다.

"여보, 내 머리카락은 무척 빨리 자라는걸요!"

그리고 델라는 꼬리에 불이 붙은 새끼고양이처럼 발딱 일어나더니 소리를 질렀다.

"참! 내 정신 좀 봐!"

아직 짐에게 줄 아름다운 선물을 보여 주지 않았던 것이다. 그녀는 시곗줄을 반듯이 편 손바닥 위에 얹어서 그에게 내밀었다.

그 둔탁한 귀금속은 그녀의 맑고 열렬한 마음의 빛을 반사하여 빛나는 것 같았다.

"멋있죠, 짐? 이걸 찾느라고 온 시내를 돌아다녔어요. 이젠 하루에 백 번도 더 시계를 보실 수 있을 거예요. 자, 당신 시계를 이리 주세요. 얼마나 잘 어울리는지 보고 싶어요."

하지만 짐은 그녀의 말대로 하지 않고 침대에 벌렁 드러누워 팔베개를 하고는 빙그레 웃었다.

"델라, 크리스마스 선물은 우선 치워 두기로 합시다. 지금 사용하기엔 너무 소중하니까. 나는 당신에게 머리핀을 사 주기 위해 내 시계를 팔아 버렸소. 자, 그러면 포크찹이나 좀 먹어 볼까?"

다 아시다시피 동방 박사는 말 구유에 누워 있는 아기 예수에게 선물을 가져온 현자들이었다. 그들은 크리스마스에 선물을 주고받는 법을 만든 사람들이었다. 현명하기 때문에 그들의 선물 또한 현명한 선물임에 틀림없었다.

만일 그 선물이 중복되었을 땐 교환할 특전을 가지고 있었을 것이다. 나는 여기서 여러분에게 서로를 위해서 현명하지 못하게 집안의 가장 소중한 보물을 희생시키고 만 셋방에 사는 두 젊은이의 싱거운 이야기를 늘어놓았다.

그러나 현대의 현자들에게 마지막으로 하고 싶은 이야기는, 이 두 사람이야말로 가장 현명한 사람이라는 사실이다. 선물을 주고받는 모든 사람 중에서 이들이 가장 현명하다. 온 세상에서 가장 현명하다. 이들이야말로 동방 박사들인 것이다.

마지막 잎새

워싱턴 광장 서쪽의 한 작은 구역에서는 길들이 멋대로 뻗고 엇갈려 '마당'이라 부르는 작은 조각들을 만들고 있다. 이 '마당'들은 기묘한 각도와 곡선을 이루고 있다. 이 곳에서는 길 하나가 한두 번 그 길 자신과 엇갈리기도 한다. 일찍이 어떤 화가가 이 거리에서 귀중한 가능성 하나를 발견했다. 가령 그림물감이나 종이나 캔버스 값을 받으러 온 사람이 이 거리에 발을 들여놓았다가는 1센트도 받기 전에 돌아가는 길을 걷고 있는 자신을 발견하게 될 것이 아닌가!

이리하여 얼마 안 되어 이 이상야릇하고 해묵은 그리니치 마을에는 미술가들이 꾸역꾸역 모여들어, 북향 창이며 18세기식 박공 지붕, 네덜란드식 다락방, 값싼 집세를 찾아 쏘다녔다. 그래서 여기에 예술인 마을이 이루어진 것이다.

수와 존시는 한 나지막한 삼층 벽돌집 꼭대기에 공동 화실을 갖고 있었다.

수는 메인 주, 존시는 캘리포니아 주에서 왔다. 8번가 델모니코 식당의 값싼 스페셜 식탁에서 만나, 예술, 꽃상추, 샐러드, 긴 소매에 대해 취미가 같은 것을 알고 마침내 공동 화실을 갖게 된 것이다.

그것은 5월의 일이었다.

11월이 되자, 의사가 폐렴이라고 부르는, 눈에 보이지 않는 낯선 자가 이 마을 주위를 왔다갔다하며 그 싸늘한 손가락으로 여기저기서 사람들을 건드렸다. 이 파괴자는 이스트사이드에서 활개치고 다니며 한 번에 수십 명씩 희생자를 내더니, 이윽고 이 좁고 낡은 '마당'의 미로에까지 느릿느릿 더듬어 왔다.

이 '폐렴' 씨는 친절한 노신사는 아니었다. 캘리포니아의 가벼운 바람으로 약해진 가냘픈 여자는 주먹을 마구 휘두르는 성미 급한 늙은 녀석의 좋은 상대가 아니었다. 그럼에도 불구하고 그는 존시에게 달려들었다. 존시는 거의 움직이지도 못하고 쇠침대에 누운 채 네덜란드식 창을 통해 건너편 벽돌집의 빈 벽을 바라보고 있었다.

어느 날 아침, 의사가 수를 복도로 불러 냈다.

"저 아가씨가 살아날 가능성은……. 글쎄, 열에 하나라고나 할까?"

그는 체온계의 수은을 흔들어 떨어뜨리며 말을 이었다.

"그리고 그 가능성이란 것도 살겠다는 저 아가씨의 의지에 달려 있지. 장의사를 부르는 데 마음을 쓰고 있는 상태에서는 어떤 처방도 소용이 없으니까. 당신 친구는 이미 회복되지 못할 것으로 작정을 하고 있거든. 마음에 뭐 애착을 가진 것이라도 없소?"

"그 애는……. 그 애는 언젠가 꼭 나폴리 만을 그려보고 싶다고 했어요."

"그림을 그린다고? 바보 같군! 마음속에 무엇인가 두 번 생각할 만한 것이 있느냐는 거지. 이를테면 남자라든가……."

"남자요? 생각할 만한 남자가……. 천만에요, 선생님. 그런 건 없어요."

수가 화가 난 듯 말했다.

"그렇다면 곤란하군. 나는 과학적으로 가능한 건, 즉 내 힘으로 할 수 있는 것은 무엇이든 하겠어. 하지만 환자가 자기 장례식 행렬의 마차

수효를 세기 시작할 때 약의 효력은 50퍼센트로 줄어들지. 저 아가씨가 올해 겨울 외투 소매의 유행이라도 묻게 된다면, 가능성은 열에 하나가 아니고 다섯에 하나라고 약속해도 좋지."

의사가 돌아간 후, 수는 화실로 들어가 일본식 종이 냅킨이 축축해지도록 울었다. 그러고는 화판을 들고 휘파람을 불면서 존시의 방으로 들어갔다.

존시는 이불에 잔주름 하나 만들지 않고 창 쪽으로 고개를 돌린 채 가만히 누워 있었다. 수는 그녀가 자는 줄 알고 휘파람을 그쳤다.

그녀는 화판을 펴 놓고 잡지 소설의 삽화를 펜으로 그리기 시작했다. 젊은 화가들은 젊은 작가가 문학 공부를 하기 위해서 쓰는 잡지 소설의 삽화를 그림으로써 화가 수업을 하지 않으면 안 되는 것이다.

소설 주인공인 아이다호 주 카우보이의 멋진 승마용 바지와 외알 안경을 그리고 있던 수는 나직한 소리가 몇 번이나 되풀이되는 것을 들었다. 그녀는 얼른 침대 곁으로 다가갔다.

존시는 눈을 동그랗게 뜨고 있었다. 그녀는 창밖을 내다보면서 무언가를 세고 있었다. 그것도 거꾸로.

'열둘' 하더니 조금 있다가 '열하나', '열', '아홉', 그리고 거의 동시에 '여덟', '일곱'을 세었다.

수는 걱정스럽게 창밖을 내다보았다. 무엇을 세고 있는 걸까? 눈에 띄는 것은 아무것도 심어져 있지 않은 텅 빈 마당과 6미터쯤 떨어져 있는 이웃집의 담장뿐이었다. 뿌리가 드러난 마디투성이의 오래 된 담쟁이덩굴이 벽 중간쯤까지 기어올라가 있었다. 가을의 싸늘한 입김은 그 잎을 줄기에서 떨어뜨려, 지금은 뼈만 남은 가지가 무너져 가는 벽에 앙상하게 매달려 있었다.

"대체 뭘 가지고 그래?"

수가 물었다.

"여섯. 점점 더 빨리 떨어져 가네. 사흘 전에는 거의 백 개나 있었는데. 너무 많아 세는 데 골치가 아플 지경이었어. 하지만 지금은 쉬워. 또 하나 떨어졌네. 이제 남아 있는 건 다섯 개뿐이야."

존시가 중얼거리듯이 말했다.

"뭐가 다섯 개 남아 있다는 거야?"

"잎새 말이야. 담쟁이덩굴에 붙어 있는 마지막 잎새가 떨어지면 나도 가야 돼. 벌써 사흘 전부터 그걸 알고 있었어. 의사가 그런 말을 하지 않았니?"

수는 경멸하는 듯한 어조로 혀를 찼다.

"나 참, 그런 바보 같은 소리가 어디 있어? 아무 말도 못 들었어. 담쟁이덩굴의 마른 잎과 네 병이 무슨 상관이 있다는 거야? 그리고 넌 늘 저 담쟁이덩굴을 좋아했잖아. 이 바보야, 싱거운 소리는 그만둬. 오늘 아침에 의사가 말했어. 네가 회복될 가능성은…… 저…… 열에 아홉은 된다고 했어. 그야 뉴욕에 살고 있는 한 전차를 탈 때나 갓 지은 빌딩 곁을 지날 때도 그 정도의 위험은 있지. 그러니, 자, 수프나 좀 먹어 봐. 그래야 나도 다시 그림을 그리고, 그걸 편집자에게 팔아 환자에게는 포도주도 사다 주고, 먹성 좋은 나는 포크찹을 사 먹을 것 아니야?"

"이제는 포도주를 살 필요가 없어. 아, 또 한 잎 떨어졌다. 아니, 수프는 싫어. 꼭 네 개 남았네. 어둡기 전에 마지막 한 잎이 떨어지는 걸 보고 싶어. 그 땐 나도 저세상으로 가겠지."

시선을 창 쪽으로 돌린 채 존시가 말했다.

"이봐, 존시! 내가 일을 끝낼 때까지 눈을 꼭 감고 창밖을 내다보지 않겠다고 약속할 수 있겠니? 내일까지는 이 일을 끝내야 해. 그림을 그리는 데 빛이 필요 없다면 커튼을 내리고 싶을 지경이야."

수가 존시에게 몸을 굽히고 말했다.

"다른 방에 가서 그리면 되잖아."

존시가 싸늘하게 말했다.

"이 방에 너와 같이 있고 싶어. 그러니 제발 저 바보 같은 담쟁이덩굴 잎을 바라보지 않았으면 좋겠어."

수가 말했다.

"일이 끝나면 얼른 말해 줘."

눈을 감으며 존시가 말했다.

그녀는 마치 넘어진 조각품처럼 하얀 얼굴로 가만히 누워 있었다.

"나는 마지막 한 잎이 떨어지는 걸 보고 싶으니까. 이젠 더 기다리기도 싫고, 생각하기도 싫어졌어. 모든 것에서 떨어져 나가, 그저 밑으로 추락하고 싶어. 저 가엾은 지친 잎처럼."

"좀 자도록 해 봐. 난 베르만 씨를 불러서 혼자 사는 늙은 광부의 모델이 되어 달라고 해야겠어. 곧 돌아올게. 내가 돌아올 때까지 움직이지 말아야 해."

수가 말했다.

베르만 씨는 같은 건물의 아래층에 사는 화가다. 예순 살이 넘었고, 난쟁이 요정과 흡사한 몸뚱이에 미켈란젤로의 모세 상 같은 수염을 가지고 있었다.

베르만은 실패한 화가였다. 40년 동안이나 그림을 그렸으나, 아직 예술의 여신의 옷자락도 만져 보지 못했다. 노상 걸작을 그린다 하면서도, 이 몇 해 동안 광고용의 보잘것없는 그림을 제외하고는 아무것도 그린 일이 없다.

그는 직업적 모델을 쓸 돈이 없는 이 예술인 마을 젊은 화가들의 모델 노릇을 하면서 약간의 돈을 얻어 쓰곤 했는데, 술을 지나칠 정도로 마시면서 앞으로 그릴 걸작에 대해 이야기했다.

그는 결코 연약한 생활 태도는 좋아하지 않았다. 그리고 자신은 위층 화실에 살고 있는 두 젊은 여류 화가들을 지키는 사람으로 자처했다.

수는 희미한 등불이 켜져 있는 아래층 굴 속 같은 방에서 노간주나무 열매 냄새를 물씬 풍기는 베르만 씨를 찾아냈다.

방 한구석에는 걸작의 첫선을 25년 동안이나 기다려 온, 아무것도 그려지지 않은 캔버스가 걸려 있었다.

수는 베르만 씨에게 존시의 망상에 대해 이야기했다. 이 세상에 대한 애착이 더 약해지면 저 마지막 잎새처럼 그녀가 정말 날아가 버리지 않을까 걱정이 된다고 말했다.

베르만 씨는 붉어진 눈에 내놓고 눈물을 흘리며 큰 소리로 그런 어리석은 상상을 경멸하며 조롱했다.

"뭐라고! 아, 그래, 벌레 먹은 담쟁이덩굴 잎사귀가 떨어지면 자기도 죽는다는 그런 바보가 어디 있나? 오래 살다 보니 참……. 그렇다면 너 같은 바보의 모델 노릇도 집어치울까 보다. 그런 어리석은 생각을 그대로 놓아 두는 법이 어디 있어? 아아, 존시……. 불쌍한 존시!"

"그 앤 몹시 앓아서 몸이 아주 허약해져 있어요. 열 때문에 병적이고 이상한 생각을 하나 봐요. 좋아요, 베르만 씨. 모델이 되고 싶지 않으면 그만두세요. 하지만 영감님은 정말 변덕쟁이시군요."

수의 말에 베르만 씨가 소리쳤다.

"정말 여자란 어쩔 수 없군! 누가 모델이 안 되겠다고 했나? 자, 어서 가지. 반 시간 전부터 모델 준비가 되었다고 말하려 했는데. 이 곳은 존시 같은 착한 아가씨가 앓아 누워 있을 곳이 못 되지. 내 머지않아 걸작을 그려낼 테니, 그 때 우리 모두 여길 떠나 버리자. 암, 그래야 하고말고."

두 사람이 위층으로 올라갔을 때, 존시는 잠들어 있었다. 수는 커튼을 창턱까지 내리고 베르만 씨에게 눈짓을 하여 다른 방으로 갔다.

거기서 두 사람은 창 밖으로 두려운 듯 담쟁이덩굴을 엿보았다. 그리고는 잠시 서로의 얼굴을 바라보았다. 눈 섞인 차가운 비가 줄기차게 내리고 있었다.

베르만 씨는 남빛 셔츠를 입고 뒤집어 놓은 냄비를 바위삼아 걸터앉아 홀로 사는 광부의 포즈를 취했다.

이튿날 아침, 수가 한 시간쯤 자다가 눈을 떠 보니, 존시가 생기 없는 눈을 크게 뜨고 늘어진 초록빛 커튼을 바라보고 있었다.

"커튼을 올려 줘. 내다보고 싶어."

존시가 속삭이듯 말했다.

수는 할 수 없이 그렇게 했다.

그런데! 밤새 내린 억센 비와 사나운 바람에도 불구하고, 벽에는 여전히 담쟁이 잎사귀 하나가 매달려 있었다! 그것은 덩굴에 붙어 있는 마지막 잎새였다. 줄기 가까이는 암록색을 띠고 있었지만, 가장자리는 누런 빛으로 물든 채 그 잎사귀는 땅에서 6미터 위에 줄기차게 용감히 매달려 있었다.

"저것 봐, 마지막 잎새야. 밤 사이에 틀림없이 떨어질 줄 알았는데. 바람 소리가 요란했거든. 하지만 아마 오늘은 떨어질 거야. 그러면 나도 세상을 떠나겠지."

존시가 말했다.

"아이 참! 자기 생각을 하고 싶지 않거든 내 생각을 좀 해 봐. 나는 어떻게 하지?"

지친 얼굴을 베개에 대면서 수가 말했다.

그러나 존시는 대답하지 않았다. 세상에서 그 멀고 신비로운 길을 떠날 준비를 하고 있을 때의 영혼만큼 고독한 것은 없다. 그녀를 우정과 매어 놓았던 매듭이 하나씩 풀려 나감에 따라 공상이 점점 강하게 그녀의 마음을 지배하는 것 같았다.

그 날도 그럭저럭 지나갔다. 그리고 황혼 속에서 그 외로운 잎사귀가 벽 위 줄기에 매달려 있는 것이 보였다.

밤이 되자 다시 북풍이 불기 시작했다. 세찬 비는 여전히 창문을 때렸고, 빗물은 나지막한 네덜란드식 처마로부터 쏟아져 내렸다.

존시는 날이 새자마자 커튼을 열어 달라고 졸랐다.

담쟁이 잎사귀는 여전히 그대로 있었다.

존시는 누운 채 오랫동안 그것을 바라보았다. 그러더니 닭고기 수프를 만들고 있는 수를 불렀다.

"나는 나쁜 사람이었어, 수. 내가 얼마나 나쁜 사람인지 보여 주기 위해 누군가 저 마지막 잎새를 남겨 놓은 거야. 죽기를 원한다는 것은 죄악이거든. 자, 수프 좀 갖다 줘. 포도주 약간 섞은 우유도 갖다 주고. 그리고……. 아니, 먼저 거울을 갖다 줘. 그런 다음, 베개를 두어 개 쌓아 줘. 일어나 앉아 네가 음식 만드는 걸 보고 싶어."

한 시간 후에 존시가 말했다.

"수, 난 머지않아 꼭 나폴리 만을 그릴 거야."

오후에 의사가 왔다.

의사가 떠날 때 수는 구실을 만들어 복도로 나갔다.

의사는 수의 떨리는 손을 잡으며 말했다.

"가능성은 반반이야. 간호만 잘하면 되겠어. 지금부터 아래층의 다른 환자를 봐 줘야겠는데. 베르만인가 하는……. 화가인 것 같은데, 역시 폐렴이야. 나이가 많은데다가 몸이 약한데, 급성이고 또 가망이 없어.

하지만 조금이라도 편하게 해 주기 위해 오늘 입원시키기로 했지."

다음 날, 의사가 수에게 말했다.

"이제 위험은 지났어. 당신이 이긴 거야. 남은 것은 음식과 간호뿐이지."

그날 오후, 존시가 침대에 누워 짙은 녹색의, 좀처럼 쓸모 없어 보이는 털목도리를 만족한 듯이 뜨고 있을 때 수가 침대 곁으로 다가왔다. 그리고는 베개며 무엇 할 것 없이 한데 섞어 한 팔로 존시를 껴안았다.

"내 말 좀 들어 봐. 베르만 씨가 오늘 병원에서 폐렴으로 돌아가셨대. 겨우 이틀 동안 앓았을 뿐인데. 첫날 아침 문지기가 아파서 어쩔 줄 몰라하는 그를 발견했는데, 그의 구두와 옷은 온통 젖어 얼음장처럼 차갑더래. 그처럼 무섭게 비바람치는 밤에 어딜 갔었는지, 모두들 짐작도 할 수 없었다는 거야. 그 다음에 아직 불이 켜져 있는 램프와 늘

두던 장소에서 끌어다 놓은 사다리와 여기저기 흩어져 있는 붓 두세 자루, 그리고 푸른 빛 누른 빛 물감이 묻어 있는 팔레트를 발견했대. 저 창 밖을 좀 내다봐. 저 벽 위의 마지막 담쟁이 잎사귀를. 바람이 불어도 까딱하지도 펄럭거리지도 않는 게 이상하다고 생각되지 않아? 아아, 저게 바로 베르만 씨의 걸작이야⋯⋯. 마지막 잎새가 떨어지던 날 밤에 그가 그려 놓은 거지."

20년 후

경찰관이 당당하게 걸어왔다. 그 태도는 습관에 의한 것이지 거드름을 피우기 위해서는 아니었다. 그를 바라보는 사람이 거의 없었기 때문이다. 시간은 겨우 밤 열 시밖에 안 되었으나, 가랑비가 섞인 찬바람 때문에 사람들은 일찍 집으로 돌아갔던 것이다.

경찰관은 길을 걸으면서 집들이 문단속을 했는지 확인하고, 가끔 뒤를 돌아보며 조용해진 거리를 주의깊게 바라보았다. 그의 건장한 체격과 당당한 걸음걸이로 미루어, 그는 마을의 치안을 담당하는 관리로 나무랄 데가 없었다. 여기서는 어느 집이나 일찍 문을 닫는다. 어쩌다 심야 영업을 하는 담뱃가게와 레스토랑의 불빛이 눈에 띄지만, 대부분은 이미 문을 닫고 있었다.

어느 골목에 이르렀을 때, 경찰관이 갑자기 걸음을 멈추었다. 한 사나이가 어두운 가게 앞에 서서 불을 붙이지 않은 시가를 입에 물고 있었기 때문이다.

경찰관이 다가가자, 사나이가 갑자기 입을 열었다.

"아무것도 아닙니다. 단지 친구를 기다리고 있을 뿐입니다. 20년 전에 약속을 했거든요. 좀 이상하게 생각되겠죠? 그렇다면 설명하죠. 이 자리에 레스토랑이 있었어요."

그가 말했다.

"5년 전까지도 있었지."

경찰관이 말했다.

그 사나이가 성냥을 그어 시가에 불을 붙였다. 그 불빛이 창백하고 눈빛이 날카로운 네모난 얼굴을 비쳤다. 넥타이 핀에는 커다란 다이아몬드가 박혀 있었다.

"20년 전의 오늘 밤, 나는 여기서 지미 웰스와 식사를 했죠. 녀석은 나의 가장 친한 친구인데, 정말 착한 사람이죠. 그와 나는 이 뉴욕에서 마치 형제처럼 자랐습니다. 나는 열여덟 살, 지미는 스무 살이었죠. 다음 날 아침 나는 서부로 가게 되어 있었거든요. 지미는 절대로 뉴욕을 떠나려 하지 않았어요. 이 곳이 세상에서 단 하나밖에 없는 곳이라고 생각했으니까요. 그래서 우리는 그 밤에 약속했죠. 그날 그 때로부터 꼭 20년째 되는 날, 여기서 만나자고 말입니다. 비록 우리가 어떤 사람이 되건, 어디서 살고 있건 말이에요."

사나이가 말했다.

"재미있는 이야기로군. 여기서 떠난 후, 친구로부터 편지는 있었나?"

경찰관이 물었다.

"2, 3년 동안은 서로 편지를 했죠. 하지만 서부란 곳은 엄청나게 넓고 바쁜 곳이에요. 나는 돈을 벌기 위해 여기저기 다니며 계속 일을 했죠. 하지만 지미가 살아 있기만 하다면 틀림없이 나를 만나러 여기 올 거예요. 절대로 잊지 않을 겁니다. 나는 오늘 밤 이 가게 앞에 서기 위해 천 마일이나 달려왔습니다."

사나이가 말했다.

친구를 기다리고 있던 사나이는 작은 다이아몬드가 박힌 멋진 시계를 꺼냈다.

"열 시 삼 분 전이군. 우리가 여기서 헤어진 것은 정각 열 시였죠."

그가 말했다.

"서부에 가서 제법 성공한 모양이군."

경찰관이 말했다.

"물론이죠! 지미가 내 반쯤만 벌었어도 좋겠는데……. 녀석은 별로 머리가 좋지 않았죠, 착하기는 했지만. 나는 머리 좋은 몇몇 녀석과 함께 돈을 벌기 위해 여간 애를 쓰지 않았어요."

경찰관은 두어 걸음 걸어갔다.

"이제 그만 가야 할 시간이야. 친구가 오면 좋겠군. 당신은 열 시 정각에 여기서 떠나겠지?"

"아뇨, 적어도 30분은 기다릴 생각이에요. 만일 지미가 살아 있다면, 그 때까지는 올 겁니다. 그럼 나중에……."

상대방이 말했다.

"잘 있게."

그리고 경찰관은 사라졌다.

싸늘한 비가 제법 세차게 내리기 시작했다. 바람도 강해졌다. 지나가던 몇몇 사람도 걸음을 재촉했다. 철물점 앞에서는 친구와 한 약속을 지키기 위해 천 마일이나 떨어진 곳에서 온 사나이가 시가를 피우며 기다리고 있었다.

약 20분쯤 지났을 때, 긴 코트의 깃을 세워 귀를 덮은 키 큰 사나이가 한길 건너에서 급히 걸어왔다. 그는 기다리고 있는 사나이한테로 곧바로 왔다.

"자네가 봅인가?"

그가 물었다.

"지미 웰스?"

문 앞에 서 있는 사나이가 되물었다.

방금 온 사나이는 상대의 두 손을 잡았다.

"틀림없는 봅이로군! 자네가 아직 살아 있다면 틀림없이 여기서 만날 줄 알았네. 아, 정말 20년은 너무 길었어! 옛날에 있던 그 레스토랑도 없어지고 말았어. 봅, 아직 그대로 있다면 옛날처럼 함께 식사할 수 있을 텐데. 그래, 서부는 어떻던가?"

"정말 운이 좋았어. 내가 원하는 것은 무엇이든 손에 넣을 수 있었지. 자네는 무척 변했군. 지미, 자네가 이렇게 키가 큰 줄은 몰랐어."

"음, 나는 스물이 지나서도 약간 자랐지."

"뉴욕에서는 잘 되어 가나, 지미?"

"그저 그래. 관청에서 일하고 있네. 자아, 봅, 우리가 알고 있는 곳으로 가세. 거기서 천천히 옛날 이야기라도 하세."

두 사람은 걷기 시작했다. 서부에서 온 사나이는 자기가 거둔 성공을 생각하니 기분이 좋은 듯, 신이 나서 떠들어 댔다. 키 큰 사나이는 코트에 얼굴을 묻고 재미있다는 듯이 듣고 있었다.

거리 모퉁이에 불이 환하게 켜진 상점이 있었다. 그 안에 들어간 두 사람은 서로의 얼굴을 쳐다보았다.

서부에서 온 사나이가 갑자기 걸음을 멈추었다.

"자네는 지미 웰스가 아니군. 20년은 긴 세월이야. 하지만 인간의 코를 변하게 할 만큼 길지는 않아."

키 큰 사나이가 화난 듯이 말했다.

"20년이 때로는 착한 사람을 악한 사람으로 변하게 할 수도 있지. 10분 전에 네 앞으로 체포 영장이 나왔어. 실키 봅, 시카고 경찰에서 이쪽으로 연락이 왔어. 네가 올지도 모른다고. 너하고 할 이야기가 있는데, 얌전히 같이 가 주겠지? 그러는 편이 현명할 거야. 그런데 경찰서에 가기 전에 너한테 전해 달라는 메모가 있어. 이 창가의 밝은 데서 읽어도 좋아. 순찰 경관인 월스가 준 거지."

키 큰 사나이가 말했다.

서부에서 온 사나이는 작은 종이 쪽지를 폈다. 그의 멀쩡하던 손이 종이 쪽지를 다 읽을 무렵에는 약간 떨리고 있었다.

메모의 내용은 아주 간단한 것이었다.

봅, 나는 약속한 장소에 시간을 맞추어 갔었네. 자네가 성냥을 그어 시가에 불을 붙이는 순간, 나는 자네가 시카고에서 수배중인 사나이라는 걸 알았네. 차마 내 손으로 자네를 체포할 수는 없어서, 다른 경찰관에게 그 일을 해 달라고 부탁했다네.

지미

물질의 힘과 사랑의 신

　록월 유리커 비누 회사의 전 경영자이며 소유주인 앤소니 록월 노인은 5번가에 있는 자기 집 서재에서 창 밖을 내다보며 픽 웃었다. 오른쪽 옆집에 사는 귀족 클럽 회원인 밴 스카일라이트 서포크 존스가 대기시켜 둔 자동차로 가다가, 늘 하던 대로 이 비누 회사 집 정면 현관 앞에 서 있는 이탈리아 르네상스 풍의 조각을 바라보며 못마땅한 듯이 콧살을 찡그렸기 때문이다.

　"거만한 늙은이 같으니라고! 아무짝에도 쓸모없는 주제에……. 자칫 잘못하면, 이든 박물관(납인형 박물관)에서 저 쌀쌀맞은 늙은 귀족 양반을 데리고 가서 진열하려고 할걸. 이번 여름에는 이 집을 빨갛고 하얗고 파랗게(네덜란드 국기 색) 칠해야지. 그러면 저 네덜란드 영감의 코도 더는 높아지지 못할 거야."

　이렇게 왕년의 비누왕은 욕설을 퍼부었다.

　그리고 초인종을 싫어하는 앤소니 록월은 서재 문 앞으로 다가가 일찍이 캔사스 대평원의 창공을 쩡쩡 울리던 그 우렁찬 목소리로 고함을 질렀다.

　"마이크!"

　이윽고 나타난 하인에게 앤소니가 말했다.

　"리처드에게 외출하기 전에 좀 들렀다 가라고 전하게."

록월 청년이 서재에 들어서자 노인은 신문을 한쪽으로 밀쳐놓았다. 그리고 수염 없는 큼직하고 불그레한 얼굴에 부드럽고도 엄숙한 표정으로 그를 바라보며, 한 손으로 흰 머리를 쓰다듬고 한 손으로는 주머니 속에서 열쇠를 만지작거렸다.

"리처드, 네가 사용하는 비누는 얼마짜리냐?"

앤소니 록월이 물었다.

대학을 졸업하고 집에 돌아온 지 겨우 여섯 달밖에 안 되는 아들은 약간 어리둥절했다. 그는 아직도 아버지의 성격을 잘 파악하지 못하고 있었다. 파티에 처음 참석한 아가씨처럼 온통 예상 못한 일들만이 기다리고 있었기 때문이다.

"한 다스에 6달러인 걸로 아는데요, 아버지."

"그럼 네 옷은?"

"약 60달러쯤 될 겁니다."

그러자 앤소니는 단호한 표정으로 말했다.

"너는 신사야. 요즘 젊은 멋쟁이들 중에는 한 다스에 24달러짜리 비누를 쓰고, 한 벌에 백 달러가 넘는 옷을 입는다. 너는 그런 녀석들 못지않게 쓸 돈이 있는데도 그저 얌전하고 검소하기만 하구나. 하긴 나도 집에서 만든 옛날 유리커를 쓰고 있지. 기분도 기분이지만, 그게 제일 순수한 비누이기 때문이야. 언제든 한 개에 10센트가 넘는 비누를 산다는 것은 나쁜 향료와 상표를 사는 거나 마찬가지다. 하지만 네 나이로 너 같은 지위와 신분을 가진 젊은이라면, 50센트짜리 정도는 되어야 적당하지. 좀전에 내가 말한 것처럼 너는 신사야. 신사를 만들려면 3대가 걸린다고들 하지만, 그건 옳지 않아. 비누와 마찬가지로 돈이 말쑥한 신사를 만든다. 너를 신사로 만들어 준 것도 역시 돈이야. 암, 그렇고말고! 돈은 나까지도 신사로 만들 뻔했으니까. 나는 우리 집 양쪽에 사는 늙은 네덜란드 신사들처럼 거칠고 예의도 없고 사귀기 어려운 인간인데도 말이다. 그 친구들, 내가 집을 사서 사이에 끼여드는 바람에 밤에 잠도 제대로 못 잔다고 하더구나."

"하지만 돈으로 해결하지 못하는 일도 있습니다."

리처드는 좀 우울해져서 말했다.

앤소니 노인은 놀란 표정을 지었다.

"무슨 말을 그렇게 하느냐? 나는 언제나 돈에 돈을 건다. 돈으로 살 수 없는 게 뭐가 있을까 하고 백과사전을 끝까지 뒤져보았다. 다음 주에는 증보판을 찾아보려는 중이다. 나는 모든 것을 적으로 돌리는 한이 있어도 돈의 편에 서겠다. 돈으로 살 수 없는 게 있다면, 한번 말해 봐."

"첫째, 상류 사회의 사교계에 들어갈 자격은 돈으로 살 수 없습니다."

리처드는 좀 격해져서 말했다.

"오, 그래! 과연 살 수 없을까? 만일 초대 애스터(모피상으로, 대재벌)가 대서양을 건널 삼등 배삯을 갖고 있지 못했었다면, 대체 네가 말하고 있는 그 상류 사회의 사교계라는 것이 어떻게 존재하겠느냐?"

돈의 힘을 믿는 사람은 벽력 같은 소리로 외쳤다.

리처드는 한숨을 쉬었다.

"내가 말하고 싶었던 건 바로 그 점이다. 너를 부른 것도 바로 그 때문이야. 애야, 너 무슨 일이 있는 것 아니냐? 벌써 이틀 전부터 눈치를 채고 있었다. 다 털어놔 봐. 나는 부동산을 제외하고도 스물네 시간 이내에 1천 백만 달러는 문제없이 만들 수 있다. 우울증 때문이냐? 그렇다면 램블러 호가 항구에서 석탄을 싣고 이틀이면 바하마 제도로 떠날 준비를 갖추고 있으니 걱정할 것 없다."

노인은 다소 가라앉은 목소리로 말했다.

"어느 정도 알아맞히셨군요, 아버지. 별로 틀리진 않으셨어요."

"그래? 그래, 그 처녀 이름이 뭐냐?"

앤소니는 재빨리 물었다.

리처드는 서재 마루 위를 왔다갔다하기 시작했다. 이 무뚝뚝한 노인에게는 아들의 믿음을 끌어당기기에 충분한 친근미와 인정이 있었다.

"왜 그 처녀에게 청혼을 하지 그러느냐? 너라면 누구든 좋아할 텐데. 돈 있겠다, 인물 좋겠다. 그뿐이냐? 넌 점잖은 청년 아니냐. 손도 깨끗하고. 유리커 비누 같은 것은 쓰지도 않으니까. 대학도 나왔는데, 그 처녀에게 청혼하는 거야 아무래도 상관없겠지."

앤소니 노인이 말했다.

"아직 기회가 없었습니다."

리처드가 말했다.

"기회는 만들어야 하는 거야. 공원을 산책한다든가, 마차를 타고 멀리까지 나가 본다든가, 교회에서 돌아올 때 집까지 바래다 준다든가 해서 말이다. 기회가 없다고? 쯧쯧!"

앤소니는 혀를 찼다.

"아버지는 사교계라는 물레방아를 모르십니다. 그 처녀는 물레방아를 돌리고 있는 물의 일부입니다. 그 사람의 시간은 한 시간, 아니 하다 못해 1분까지도 며칠 전부터 꽉 짜여 있습니다. 하지만 저는 어떻게 해서든지 그녀와 결혼하고 싶습니다. 그렇지 않으면 제 마음은 영원히 시커먼 너도밤나무로 뒤덮인 수렁이 되고 말 거예요. 그렇다고 해서 제 마음을 편지로 쓸 수는 없습니다. 정말 그런 짓은 못하겠어요."

노인은 또 혀를 찼다.

"쯧쯧! 나의 전재산으로도 어린 처녀의 한두 시간을 네 것으로 만들지 못한단 말이냐?"

"제가 너무 늑장을 부렸어요. 그녀는 모레 낮에 2년 예정으로 유럽으로 떠납니다. 단둘이 만날 수 있는 시간이라곤 내일 밤 고작 4, 5분뿐입니다. 그녀는 지금 리치먼드의 숙모 댁에 있습니다만, 그 곳엔 갈 수가 없습니다. 하지만 내일 밤 8시 반 기차로 그랜드센트럴 역에 도착하는 그녀를 마차로 마중해도 좋다는 것만은 허락을 받았습니다. 우리는 마차로 브로드웨이를 달려 월랙 극장으로 가게 되어 있는데, 그녀의 어머니와 그 일행이 로비에서 우리를 기다리고 있을 것입니다. 그런 상황에서 7, 8분 동안에 그녀가 저의 사랑의 고백에 귀를 기울여 줄 것 같습니까? 어림없죠. 그리고 일단 극장에 도착하면 그 후에 무슨 기회가 있겠습니까? 어림없습니다. 그럼요. 아버지, 이렇게 얽혀 버린 것은 아무리 아버지의 돈이라 할지라도 풀 수가 없습니다. 돈만 가지고는 단 1분도 살 수 없습니다. 만약 그게 가능하다면, 부자는 모두 오래 살 수 있게 될 겁니다. 이제 배가 출발하기 전에 랜트리 양과 얘기할 수 있는 희망은 전혀 없습니다."

그러자 앤소니 노인은 유쾌한 듯 말했다.

"알았다, 리처드. 자, 이제 클럽에 나갔다 오너라. 네 우울증이 간이 나빠서가 아니라니 다행이구나. 하지만 때로는 신전에서 거룩한 머주머 신(행운의 신. 속어로 돈)에게 분향 드리는 걸 잊어선 안 된다. 돈으론 절대 시간을 못 산다 이 말이지? 그래, 물론 돈을 주고 영원한 시간을 잘 포장해서 집으로 배달해 달라고 주문할 수는 없겠지. 하지만 나는 '시간' 아저씨가 금광을 찾아다니다가 발꿈치를 돌부리에 부딪쳐서 심한 상처를 입은 걸 본 적이 있다."

그날 밤, 상냥하며 감상적이고, 주름살이 많은데다가 한숨을 잘 쉬고, 재산이라는 것에 염증을 느끼고 있는 앨런 아주머니가 석간 신문을 읽고 있는 오빠 앤소니 노인을 찾아왔다. 그래서 두 사람은 사랑하는 사람의 고민에 관한 문제를 가지고 이야기를 시작했다.

앤소니 노인은 하품을 했다.

"그 얘기는 그 애가 다 해 주었다. 내 은행 예금을 마음대로 써도 좋다고 했지. 그랬더니 그 녀석, 돈을 마구 헐뜯기 시작하더군. 돈 따위는 전혀 쓸모가 없다는 거야. 사교계의 법칙은 백만장자 열 명이 한꺼번에 달려들어 봐야 1야드도 공격할 수 없다나?"

앨런 아주머니는 한숨을 내쉬었다.

"저어, 오라버니. 돈의 힘을 너무 믿지 않는 게 좋아요. 참된 사랑을 하는 데 있어서 재산은 아무것도 아니에요. 사랑은 그 무엇보다도 강하니까요. 그 애가 좀 일찍 이야기했더라면 좋았을 텐데. 그랬으면 그 처녀도 우리 리처드를 거절할 수 없었을 거예요. 하지만 이제 너무 늦은 것 같아요. 그 처녀에게 말을 건넬 기회는 다시 없을 테니까요. 오빠의 모든 재산도 아들에게 행복을 갖다 줄 수는 없을 거예요."

다음 날 밤 여덟 시, 앨런 아주머니는 좀먹은 상자에서 독특하게 생긴 고풍스러운 금반지를 꺼내어 리처드에게 주며 말했다.

"애야, 오늘 밤에 그걸 끼고 가거라. 네 어머니가 주신 거야. 사랑의 행복을 갖다 주는 반지라고 말씀하시면서, 어머니는 네가 사랑하는 사람을 발견하게 되면 이걸 네게 주라고 부탁하셨어."

리처드는 공손히 반지를 받아 새끼손가락에 끼어 보았다. 반지는 둘째 마디까지 미끄러져 들어가 멈춰 버렸다.

그는 그것을 빼어 남성의 예법대로 조끼 주머니에 넣었다. 그러고 나서 전화로 마차를 불렀다.

여덟 시 삼십이 분, 그는 정거장의 왁자지껄한 군중 속에서 랜트리양을 붙잡았다.

"어머니와 다른 분들을 기다리시게 하면 안 돼요."

그녀가 말했다.

"가능한 한 빨리 월랙 극장으로 가 주시오!"

리처드가 명령했다.

마차는 브로드웨이로 나가는 42번가를 달려 올라갔다가, 마치 석양이 지는 조용한 목장에서 아침 해가 솟아오르는 바위 언덕으로 이어지는 듯한 느낌이 드는 불빛이 눈부신 브로드웨이의 길을 쏜살같이 달려 내려갔다.

34번가에 들어섰을 때, 리처드는 황급히 마차의 창문을 밀어올리더니 마부에게 마차를 세우라고 일렀다.

"반지를 떨어뜨렸습니다. 어머니의 유물인데, 잃어버리고 싶지 않습니다. 시간이 많이 걸리진 않을 겁니다. 떨어뜨린 곳을 알고 있으니까요."

마차에서 내리면서 그는 변명했다.

채 1분도 안 되어 그는 반지를 찾아 가지고 마차 안으로 돌아왔다.

그런데 그 1분 사이에 시내 전차 한 대가 마차 바로 앞에서 멈추었다. 마부는 전차의 왼쪽으로 빠져 나가려고 했으나, 그런 곳에 도무지 볼일이 있을 것 같지도 않은 가구 운반차가 서 있어서, 할 수 없이 뒷걸음질 쳐야 했다.

뒤로 물러서려다가 이번에는 고삐를 놓친 마부가 욕지거리를 마구 쏟아 놓았다. 그들은 수레와 말이 뒤섞인 혼란 속에 꼼짝없이 갇히고 말았다. 대도시에서 이따금씩 아주 갑작스럽게 일어나는 그 교통 혼잡이 일어난 것이다.

"왜 마차를 몰지 않죠? 늦어지겠어요."

랜트리 양이 초조한 표정으로 말했다.

리처드는 마차 안에서 주위를 둘러보았다. 그는 브로드웨이의 6번가와 34번가가 교차하는 광장이 마치 허리가 26인치나 되는 처녀가 22인치밖에 안 되는 허리띠를 억지로 졸라맨 것처럼, 배달차와 트럭과 전세 마차와 짐마차와 전차가 한데 섞여 우글거리며 홍수처럼 부풀어오르고 있는 것을 보았다.

차들은 여전히 모든 길로부터 이 집합 지점을 향해 요란스레 전속력으로 달려와서는 북적대는 집단 속에 뛰어들었다. 수레바퀴는 옴짝달싹도 못하게 되고, 마부들의 욕설은 점점 커져 마침내 절규로 변했다.

맨해튼의 모든 차가 여기에 밀려와 완전히 갇혀 버린 것 같았다. 길가에 늘어선 수많은 구경꾼들 중에 가장 나이 많은 뉴욕 시민조차도, 일찍이 이토록 대규모로 교통이 혼잡한 일은 본 적이 없다고 말했다.

"정말 죄송하군요. 우리는 오도가도 못하게 되었습니다. 한 시간 안에 이 혼란이 풀릴 것 같지는 않습니다. 제 잘못입니다. 반지만 떨어뜨리지 않았어도……."

다시 자리에 앉은 리처드가 말했다.

"그 반지 좀 보여 주세요. 이젠 어쩔 수 없게 됐으니까 괜찮아요. 어차피 저는 연극을 별로 좋아하지 않으니까요."

랜트리 양이 말했다.

그날 밤 열한 시쯤, 누군가가 앤소니 록월의 방문을 가볍게 두드렸다.

"들어와요!"

붉은 실내복을 입고 해적 모험 소설을 읽고 있던 앤소니 노인이 소리쳤다.

어쩌다가 실수로 이 세상에 남겨진 백발의 천사 같은 모습의 앨런 아주머니였다.

그녀가 부드러운 목소리로 말했다.

"두 사람은 약혼했어요, 오라버니. 그 처녀와 우리 리처드가 결혼하기로 약속했다는군요. 그들이 극장으로 가는 도중에 길이 막혀서, 마차가 그 곳을 빠져 나오는 데 두 시간이나 걸렸대요. 그러니 오라버니, 이제 다시는 돈의 힘을 자랑하지 마세요. 참된 사랑의 상징——영원히 변치 않는, 돈과 전혀 관계 없는 애정을 상징하는 조그만 반지——이 우리 리처드에게 행복을 안겨 주는 실마리가 되었어요. 그 애는 반지를 길에 떨어뜨려서 그걸 줍느라고 마차에서 내렸대요. 그리고 마차가 다시 계속해서 움직여 가기 전에 길이 막혀 버렸던 거예요. 마차가 갇혀 있는 동안에 그 애는 처녀에게 말을 건네서, 마침내 그 마음을 얻은 거죠. 돈이란 참된 사랑에 비하면 쓰레기 같은 거예요, 오라버니."

"그래. 그 녀석이 원하는 걸 손에 넣었다니 나도 기쁘다. 나는 그 녀석에게 말했었지. 이 일에 대해선 결코 돈을 아끼지 않겠다고 말이야.

만일……."

앤소니 노인이 말했다.

"하지만 오라버니, 그래, 그 돈이 어디에 쓰였나요?"

"앨런, 내가 지금 읽고 있는 책의 해적은 대단한 어려움에 처해 있어. 지금 녀석의 배에 커다란 구멍이 뚫렸거든. 하지만 이 녀석은 돈의 가치를 너무나 잘 알고 있으니까, 그리 쉽게 빠져 죽진 않을 거야. 제발 이 장을 계속 읽을 수 있도록 도와주지 않겠니?"

앤소니 록월이 말했다.

이 이야기는 여기서 끝내야겠다. 이것을 읽고 있는 독자도 그렇겠지만, 나도 진심으로 그러기를 원한다. 하지만 우리는 진실을 찾기 위해 샘의 밑바닥까지 훑어나가지 않으면 안 된다.

다음 날, 손이 벌겋고, 파란 물방울 무늬의 넥타이를 맨 켈리라는 사람이 앤소니 록월을 방문해 즉시 서재로 안내되었다.

"그래, 아주 잘했어. 가만 있자……. 내가 자네에게 현금으로 5천 달러를 줬던가?"

수표철에 손을 대며 앤소니 노인이 말했다.

"제 돈 3백 달러를 더 썼습니다. 아무래도 예산을 초과하더군요. 운반차와 전세 마차는 약 5달러 선에서 얘기가 됐지만, 트럭과 쌍두 마차는 10달러까지 값을 올리지 않겠습니까? 전차 운전 기사도 10달러를 요구하더군요. 짐차 운전수 중에는 20달러 내라는 사람도 있었어요. 경관이 제일 많이 요구하던데요. 두 사람에겐 50달러씩 주고, 나머지는 20달러에서 25달러 주었습니다. 하지만 정말 훌륭하지 않았습니까, 록월 영감님? 경찰국장 윌리엄 브래디가 그 혼잡한 현장에 직접 나타나지 않은 건 정말 하느님이 보호하신 거죠. 그 사람이 직무상 너무 열을 내다가 심장이 터지는 꼴을 보고 싶진 않았으니까요.

더군다나 연습 한번 못해 본 공연 아닙니까! 모두 1초도 틀리지 않고 시간을 맞춰 주었습니다. 그리고 두 시간 동안, 그릴리의 동상 밑으로 개미새끼 한 마리 얼씬 못했지요."

켈리가 말했다.

앤소니 노인이 그에게 수표를 건네며 말했다.

"여기 1천3백 달러 있네, 켈리! 자네 몫 1천 달러와 채워 넣은 돈 3백 달러일세. 설마 자네도 돈을 경멸하는 건 아니겠지, 켈리?"

"제가요? 전 가난을 발명한 놈을 찾아서 아주 혼쭐을 내주고 싶은데요."

켈리가 말했다.

켈리가 문까지 갔을 때 앤소니 노인이 불렀다.

"자네, 혹시 그 혼잡 속 어디선가 발가벗은 통통한 어린아이(로마 신화에 나오는 사랑의 신 큐피드를 말한다.)가 활을 쏘고 있는 걸 못 보았나?"

켈리가 어리둥절한 표정을 지었다.

"못 봤습니다. 만약 말씀하시는 발가숭이가 실제로 있었다면, 제가 도착하기 전에 이미 경관이 끌고 갔겠죠."

그러자 앤소니 노인은 웃음을 터뜨렸다.

"나도 그런 꼬마 악당이 그 자리에 나타났을 리는 없다고 생각했네. 잘 가게, 켈리."

로터스의 손님들

　브로드웨이에 피서지의 개발자들이 미처 발견하지 못한 호텔 하나가 있다. 그 곳은 안이 깊고 넓으며 시원하다. 또 모든 방들이 서늘한 느낌을 주는 검은 참나무 목재로 다듬어져 있다. 불어오는 산들바람과 짙은 초록빛의 관목 수풀은 힘들여 산 속까지 가지 않더라도 얼마든지 즐거움을 안겨 준다. 놋쇠 단추를 단 보이의 안내로 넓은 층계를 올라가거나, 엘리베이터를 타고 꿈을 꾸듯이 높이 올라가면, 알프스의 등산가도 미처 맛보지 못한 상쾌한 기쁨을 맛볼 수 있다.

　주방의 요리사는 화이트마운틴에서도 먹어 볼 수 없는 훌륭한 강송어며, 올드 포인트 캠퍼트(버지니아 주에 있는 관광지)마저 부러움으로 얼굴이 굳어 버릴——정말이다!——해산물이며, 고지식한 사냥 감독관마저 흐늘흐늘하게 녹여 버릴 메인 주의 사슴고기 등을 요리해 준다.

　사막 같은 7월의 맨해튼에서도 이 오아시스를 발견한 사람은 불과 몇 사람에 지나지 않는다. 7월 중에는 호텔 손님이 훨씬 줄어, 그 우아한 식당의 시원한 불빛 아래 손님들이 드문드문 흩어져 앉아 눈처럼 새하얀 테이블보를 씌운, 주인 없는 식탁 너머로 말없이 서로의 행운을 축하하며 시선을 나누는 모습들을 볼 수 있다.

　빈틈없고 재빠른, 일이 없는 웨이터들이 부근에서 서성거리다가, 이쪽에서 채 말하기도 전에 무슨 요구든 다 들어준다. 이 곳의 온도는 언제나 4월을 느끼게 한다. 천장에는 수채화로 여름 하늘이 그려져 있어, 순식간에 사라져 우리를 아쉽게 하는 자연의 구름과는 달리 언제나 떠돌고 있다.

아득히 들려오는 브로드웨이의 기분 좋은 소음도 이 행복한 손님들의 공상 속에서는 안식의 소리로, 숲을 채우는 폭포 소리로 들린다. 귀에 낯선 발자국 소리가 들릴 때면, 손님들은 언제나 자연의 가장 깊숙한 휴식처까지 뒤지고 다니는 경박한 사람들에게 혹시나 자기들의 안식처가 발견되어 방해받지나 않을까 두려워하며 귀를 기울인다.

7월에 한 손님이 이 호텔을 방문했다. 숙박부에 적기 위해 호텔 직원에게 내민 명함에는 '마담 엘르아즈 다르시 보봉'이라고 씌어 있었다.

마담 보봉은 호텔 로터스가 좋아하는 손님이었다. 그녀의 지극히 세련된 몸가짐과 정숙한 행동은 부드러움과 품위를 더해, 호텔 종업원들을 마치 노예처럼 만들어 버렸다. 웨이터들은 그녀의 부름에 응하는 영예를 차지하기 위해 앞을 다투었다.

직원들마저도 소유권 문제만 없다면, 이 호텔을 통째로 그녀에게 주고 싶을 정도였다. 다른 손님은 그녀를 그 고고함과 아름다움으로 이 호텔이 가지고 있는 분위기를 완전한 것으로 만들어 주는 마지막 장식으로 여겼다.

이 최고급 손님은 거의 외출을 하지 않았다. 그녀의 습관은 이 호텔 로터스의 안목 있는 단골들과 조금도 다르지 않았다. 이 쾌적한 숙소를 즐기기 위해서는, 마치 몇십 리나 멀리 떨어져 있는 것처럼 도시 세계는 완전히 잊어버려야 한다.

밤이면 가까운 옥상 정원에 잠깐 다녀오는 것이 고작으로, 찌는 듯한 대낮에는 송어가 마음에 드는 웅덩이의 물 맑은 피난처 중간에 가만히 떠 있듯이, 로터스의 그늘진 요새에 틀어박혀 있는 것이다.

마담 보몽은 로터스 호텔에서는 혼자였지만, 그 고독 또한 귀한 신분에서 우러나오는 것으로 여겨질 만큼 위엄을 간직하고 있었다. 그녀가 열 시에 아침을 먹는 모습은 아름답고 의젓하고 우아하여, 마치 황혼녘에 피는 재스민처럼 부드럽게 빛났다.

그러다가 저녁 식사 때가 되면, 부인의 광채는 그 절정에 달했다. 그녀는 산골짜기의 눈에 띄지 않는 폭포에서 피어나는 물안개처럼 아름답고 환상적인 가운을 걸치고 나타났다. 가슴의 레이스 장식 위에는 언제나 연분홍 장미가 꽂혀 있었다.

그 가운은 과연 수석 웨이터가 존경의 눈으로 바라보고, 입구까지 달려가서 영접할 만했다. 여러분이 만약 그것을 본다면, 곧 파리를 생각할 것이다. 그리고 아마도 무슨 사연이 있을 듯한 백작 부인과, 베르사유와 결투용 칼을 생각할 것이다.

호텔 로터스에 마담 보몽이 세계를 이웃처럼 드나드는 국제적인 인물로, 러시아를 위해서 그 희고 화사한 손으로 국가간의 보이지 않는 실을 조정하고 있다는 소문이 돌았다. 한가로이 세계를 여행하고 다니는 부인이라면, 무더운 한여름을 조용히 쉬기 위한 미국 내의 가장 적당한 장소로 세련된 분위기의 호텔 로터스를 선택한 것도 전혀 이상할 것이 없다.

마담 보몽이 이 호텔에 묵은 지 사흘이 지났을 때, 한 청년이 찾아와 숙박부에 이름을 적었다. 그의 특징을 일반적으로 사람들이 하는 대로 말하면, 옷차림은 검소하나 어느 정도 유행을 따랐고, 용모는 준수하고 단정했으며, 표정은 세상 물정을 아는 듯이 안정되고 상냥했다.

그는 호텔 직원에게 한 3, 4일 묵겠다고 말한 다음, 유럽으로 가는 기선에 대해 이것저것 물어 보았다.

숙박부에 적은 내용이 사실이라면, 청년의 이름은 헤럴드 파링턴이었다. 그는 로터스의 배타적이고 조용한 생활의 흐름 속에 아주 교묘히, 소리도 없이 흘러들어왔으므로, 휴식을 구하는 같은 숙박객들을 놀라게 할 만한 조그만 물결 하나 일으키지 않았다.

그도 로터스에서 식사를 하고 그 열매(연밥. 그리스 신화에 의하면, 이것을 먹으면 황홀한 기분이 되어 근심을 잊을 수 있다고 한다.)를 먹으면서, 다른 행복한 여행자들과 함께 평안 속으로 이끌려 들어갔다.

헤럴드 파링턴이 들어온 다음 날, 마담 보몽은 저녁 식사를 끝내고 식당에서 나가다가 손수건을 떨어뜨렸다. 파링턴 씨는 사귀고 싶은 눈치는 전혀 보이지 않은 채 그것을 부인에게 내밀었다.

두 사람 사이에 조심스럽게 예의를 지키면서도 지나친 형식에서 벗어나려는 대화가 오고갔다. 그리하여 진짜 피서지의 그 편안한 분위기 속에서와 마찬가지로 이 곳에서도 하나의 교우 관계가 이루어져, 마치 마술사의 신비로운 풀처럼 금방 자라서 꽃을 피우고 열매를 맺었다. 두 사람은 잠시 동안 복도 끝에 위치한 발코니에 서서 가벼운 대화의 공을 주고받았다.

"지금까지 다녔던 피서지는 정말 지긋지긋해요. 소음과 먼지를 피하려고 산이나 바닷가로 가 봐도 아무 소용이 없었어요. 그 소음과 먼지를 만들어 내는 사람들이 뒤쫓아오니까요."

마담 보몽이 가냘프지만 아름다운 미소를 띠고 말했다.

"그들은 먼 바다까지도 따라옵니다. 이젠 호화 여객선도 나룻배와 똑같아지고 있습니다."

파링턴이 슬픈 듯이 말했다.

"어쨌든 우리들의 비밀이 앞으로 일주일 만이라도 침해당하지 않았으면 좋겠어요. 그런 사람들이 이 즐거운 로터스에 몰려오면, 전 어디로 가야 할까요? 저는 여름을 이토록 즐겁게 보낼 수 있는 곳이라곤 단

한 곳밖에 몰라요. 그건 우랄 산맥에 있는 폴린스키 백작의 성입니다."

마담은 한숨과 미소를 함께 뿌리면서 말했다.

"바덴바덴이나 칸도 이번 여름에는 아주 한적하다던데요. 그런 옛 피서지는 해마다 인기가 떨어지고 있습니다. 알려지지 않은 조용하고 구석진 휴식처를 찾는 사람들이 많은가 봐요."

파링턴이 말했다.

"저는 앞으로 사흘만 이 기분 좋은 휴식을 누릴 거예요. 월요일이면 세드릭 호가 출발하거든요."

마담 보몽이 말했다.

헤럴드 파링턴은 유감스러운 듯이 쳐다보며 말했다.

"저도 월요일에는 떠나야 합니다. 외국에 가는 건 아니지만."

마담 보몽은 이국적인 몸짓으로 동그란 어깨 한쪽을 움츠려 보였다.

"아무리 이 곳이 매력이 있더라도, 언제까지나 숨어 있을 수는 없잖아요? 그 성에서는 이미 한 달 전부터 준비를 해 놓고 제가 가기를 기다리고 있어요. 손님을 재워 가며 파티를 베풀어야 하다니, 얼마나 지긋지긋하겠어요! 하지만 이 로터스에서 보낸 일주일은 잊지 못할 거예요."

"저도 마찬가지입니다. 그리고 저는 세드릭 호를 용서하지 않겠습니다."

파링턴이 나직하게 말했다.

그 뒤 사흘이 지난 일요일 저녁, 두 사람은 발코니의 조그만 식탁에 마주 앉았다.

웨이터가 재치 있게 얼음과 클라레(프랑스 보르도 산 붉은 포도주)를 넣은 조그만 잔을 두 개 갖다 주었다.

마담 보몽은 만찬 때 늘 입는 아름다운 이브닝 가운을 입고 깊은 생각에 잠겨 있었다. 식탁 위에 놓인 그녀의 손 옆에는 벨트 줄에 다는 조그만 지갑이 놓여 있었다. 시원한 음료를 마신 후, 그녀는 지갑을 열어 1달러짜리 지폐를 꺼내 들었다. 그리고 호텔 로터스를 매료시킨 그 미소를 띠며 말했다.

"파링턴 선생님, 당신께 드릴 말씀이 있어요. 저는 내일 아침 식사 전에 여길 떠나려고 해요. 직장으로 돌아가야 하거든요. 저는 캐시 매머드 백화점의 양말부에서 근무하고 있는데, 내일 아침 여덟 시면 휴가가 끝난답니다. 이 돈은 다음 주 토요일 밤에 급료 8달러를 받을 때까지 제가 보는 마지막 돈이에요. 선생님은 정말 신사시고, 제게 너무나 친절하셨어요. 그래서 여기를 떠나기에 앞서 꼭 말씀드리고 싶었어요. 전 오직 이 휴가만을 위해서 일 년 동안의 급료를 모두 저축해 왔답니다. 두 주일은 좀 많다고 해도, 적어도 일주일만은 귀부인처럼 살아 보고 싶었어요. 매일 아침 일곱 시면 잠자리에서 일어나야 하는 대신, 아무 때고 내가 일어나고 싶을 때 일어나 보고, 돈 많은 사람들처럼 가장 좋은 음식을 먹고, 남의 시중을 받고, 초인종을 울려서 일을 시켜 보고 싶었던 거예요. 이제는 그 소원이 이루어졌어요. 일생 동안 단 한 번만이라도 가져 보고 싶었던 가장 행복한 시간을 보낼 수 있었어요. 이제 저는 일자리와, 앞으로 일 년간의 방세를 치러 놓은 조그만 싸구려 셋방으로 돌아가야 해요. 이게 바로 제가 말씀드리고 싶었던 거예요. 파링턴 선생님, 전 선생님이 저를 싫어하지 않으시리라 생각하고, 또 저…… 저 역시 선생님을 좋아해요. 하지만 아아, 지금까지 전 선생님을 속이지 않을 수 없었어요. 모든 것이 제게는 동화의 세계처럼 여겨졌어요. 그래서 유럽이나 책에서 읽은 외국 이야기를 들먹이며 당신으로 하여금 제가 무슨 상류 계급의 귀부인이나 되는 것처럼 생각하게 했던 거예요. 지금 이 드레스도, 사람들 앞에 입고 나갈 수 있는 거라곤 이것뿐이지만, 오더 우드 앤드 레빈스키 가게에서 75달러에 맞춘 거예요. 선금으로 10달러 주고, 나머지는 일주일에 1달러씩 수금하러 와요. 제가 말씀드리려 한 것은 이게 전부예요, 파링턴 선생님. 아참, 제 이름도 마담 보몽이 아니라 메이미 시비터라는 것도 말씀드려야겠군요. 여러모로 친절하게 대해 주셔서 감사합니다. 이 1달러는 내일 지불할 드레스 값이에요. 그럼 저는 이만 방으로 돌아가겠어요."

헤럴드 파링턴은 로터스에서 가장 아름다운 손님의 고백담에 묵묵히 귀를 기울였다.

그녀가 이야기를 마치자, 그는 웃옷 호주머니에서 수표철 같은 조그만 수첩을 꺼냈다. 그리고 빈 용지에 연필로 무엇인가를 적은 다음, 그것을 찢어서 그녀에게 내밀고 1달러짜리 지폐를 집어들었다.

"저도 내일 아침에는 일하러 나가야 합니다. 하지만 지금부터 시작해도 상관없을 것 같군요. 그건 1달러에 대한 영수증입니다. 저는 3년 전부터 오더 우드 앤드 레빈스키 상점에서 수금원으로 일하고 있지요. 당신과 제가 똑같은 휴가 계획을 생각했다니, 너무 재미있군요. 저는 늘 근사한 호텔에 한번 묵어 보고 싶었거든요. 그래서 주급 20달러 중에서 얼마씩을 저축해서 이렇게 해 본 것입니다. 어때요, 메이미, 토요일 밤 배로 코니(섬)에 가시지 않겠습니까?"

순간, 가짜 마담 엘르아즈 다르시 보몽의 얼굴이 빛났다.

영혼의 등불

루와 낸시는 사이좋은 친구였다. 그녀들은 먹고살기가 어려워 일자리를 찾아 이 도시에 나왔다. 낸시는 열아홉, 루는 스무 살이었다. 둘 다 귀엽고 활동적이며, 무대에 서겠다는 야심 따위는 조금도 없는 시골 처녀들이었다.

하늘의 도움으로 두 사람은 싸면서도 그다지 초라하지 않은 하숙을 발견했다. 두 사람 다 일자리를 구해서 급료를 받는 몸이 되었다. 여전히 두 사람은 사이가 좋았다. 여섯 달이 지났다.

독자 여러분, 잠시 나와 주십시오. 그로부터 6개월 후의 이 아가씨들을 소개하고 싶으니까. 이쪽은 남의 일에 참견 잘하는 독자이시고, 이쪽은 나의 여자 친구 낸시 양과 루 양입니다. 독자 여러분, 그녀들과 악수하는 동안 그녀들의 옷차림을 살짝 살펴봐 주십시오.

루는 세탁소에서 다리미질을 맡아 하고 있었다.

그녀는 몸에 잘 맞지 않는 자줏빛 드레스를 입고, 모자에 꽂은 깃 장식도 4인치쯤은 길었다. 흰 담비 목도리와 스카프는 25달러나 하지만, 제철이 지날 무렵이면 같은 물건에 7달러 95센트의 정가표가 붙는다. 그녀의 볼은 분홍빛이고 연한 푸른 눈은 맑다. 그녀의 가슴은 만족감으로 가득 차 있다.

독자는 낸시를 '숍 걸'(점원)이라고 부를 것이다. 그녀의 머리 모양은 폼파두 형으로 이마의 선을 한결 돋보이게 한다. 스커트는 싸구려 옷감이지만, 단정한 플레어스커트였다. 매서운 봄바람으로부터 몸을 지켜주는 모피 외투를 마치 페르시아 산양 새끼의 털옷이라도 되는 듯이 의기양양하게 입고 있다.

자, 이제 독자 여러분은 루의 '또 뵙겠어요.'라는 명랑한 인사와, 지붕을 넘어 별세계로 날아오르는 흰나비처럼 훨훨 떠나가는 낸시의 비웃는 듯한, 그러면서도 어딘가 작별을 아쉬워하는 듯한 귀여운 미소의 전송을 받으면서 모자를 집어들고 물러나 주셔야겠다.

두 사람은 길모퉁이에서 댄을 기다리고 있었다. 댄은 루의 애인이다. 착실한 청년이냐고? 물론이다. 성모 마리아가 열두 사람의 하인을 고용해서 잃은 새끼양을 찾고자 할 때 요긴하게 쓰일 청년이다.

"낸시, 춥지 않니? 일주일에 겨우 8달러 받고 그런 낡은 가게에서 일하다니, 바보 같아! 난 지난주에 18달러 50센트나 벌었어. 물론 다리미질 일은 진열장 뒤에 서서 레이스를 파는 것처럼 보기 좋은 일은 아니야. 하지만 돈벌이는 돼. 다리미질하는 사람치고 일주일에 10달러 못 받는 사람은 없어. 그리고 다리미질도 버젓한 일이야."

루가 말했다.

"그런 일은 너나 하렴. 나는 주급 8달러에, 지금 있는 조그만 침실이면 만족해. 난 깨끗한 물건과 근사한 사람들과 어울리는 게 좋아. 게다가 난 직장에서 좋은 기회를 잡을 수 있어. 장갑 매장의 여자 하나는 재산이 백만 달러나 되는 피츠버그의 제강업자인지 철공장 주인인지 하는 사람하고 결혼했어. 언젠가 나도 멋진 사람을 만날 거야. 물론 내 얼굴이 어떻고 뭐가 어떻고 하며 뽐내진 않아. 하지만 아주 멋진 일이 눈앞에 나타나면 기회를 붙잡을 거야. 세탁소에서 일하는 여자한테 무슨 기회가 오겠니?"

코끝이 치켜 올라간 낸시가 말했다.

"어머, 난 세탁소에서 댄을 알게 됐어. 그는 나들이할 때 입는 와이셔츠와 칼라를 찾으러 왔다가 1번 작업대에서 다리미질하고 있는 나를 본 거야. 우린 모두 1번 작업대에서 일하고 싶어해. 그 날은 엘러 매기니스가 병이 나서 쉬는 바람에 내가 그 자리에 있었던 거야. 그는 첫눈에 내 팔이 토실토실하고 옥같이 흰 것을 보고 감탄했다는 거야. 난 소매를 걷어붙이고 있었거든. 세탁소엔 때로 멋있는 사람이 찾아와. 그런 사람들은 옷을 좋은 여행용 백에 넣어 가지고 와서 갑자기 문을 확 밀고 들어오는 거야."

루가 자랑스러운 듯 말했다.

"루, 어쩌면 그런 드레스를 다 입고 있니? 대단한 악취미야."

낸시는 눈에 귀여운 비웃음을 띠고 루의 드레스를 훑어보았다.

루는 화가 나서 눈을 크게 뜨고 소리쳤다.

"내 드레스가? 무슨 소리야! 이 드레스는 16달러나 준 거야. 원래는 25달러나 하는 물건이라고. 어떤 여자가 세탁하라고 맡겨 놓고 찾아가지 않은 것을 내가 주인한테서 산 거야. 하나하나 손으로 수를 놓아 만든 거야. 그보다 네가 입고 있는 그 보기 흉한 싸구려 옷 얘기나 하지 그래."

"이 싸구려 옷은, 밴 올스타인 피셔 부인의 옷을 본떠서 만든 거야. 점원들의 말을 들으면, 부인은 작년 한 해 우리 상점에서 사들인 물건만도 1만2천 달러나 된대. 이건 내 손으로 만든 거야. 1달러 50센트 들여서 말야. 3미터쯤 떨어져서 보면, 그 부인 옷과 어느 것이 진짜인지 분간도 못해."

낸시는 태연하게 말했다.

"그래, 좋아. 굶어 죽어도 뽐내고 싶다면 그렇게 해. 하지만 나는 지금 하는 일을 계속해서 좋은 급료를 받겠어. 내가 살 만한 화려하고 예쁜 옷이 있으면 이야기해 줘."

루가 호기롭게 말했다.

마침 그때 댄이 나타났다. 그는 기성품 넥타이를 맨 성실한 청년으로, 도시에서 흔히 보는 경박함이 없었다. 주급 30달러를 받는 이 전기 기사는, 로미오 같은 우울한 눈으로 루를 바라보았다. 그녀가 입고 있는 수놓은 드레스가 어떤 파리라도 잘 잡을 수 있는 거미줄 같다고 생각했다.

"이분은 내가 사귀고 있는 오웬스 씨야! 이쪽은 내 친구예요."

루가 소개했다.

"뵙게 되어 대단히 반갑습니다. 루한테 늘 이야기를 듣고 있었어요."

댄은 이렇게 말하면서 손을 내밀었다.

"고마워요. 저도 루한테서 말씀은 들었어요, 두세 번이긴 하지만."

낸시는 손끝으로 그의 손을 가만히 만졌다.

"그 악수도 벤 올스타인 피셔 부인 흉내를 낸 거니, 낸시?"

루가 킬킬 웃으며 물었다.

"그렇다치고, 너도 체면 차릴 것 없이 흉내내도 좋아."

낸시가 말했다.

"자, 이제 그런 말은 그만하고……. 내가 한 가지 제의를 하지요. 두 분을 티파니 같은 큰 곳으로 모시지는 못하지만, 그 대신 조그만 극장에라도 가시는 게 어떻겠어요? 입장권이 있어요. 진짜 다이아몬드를 끼고 악수를 할 수 없다면, 하다못해 무대의 다이아몬드라도 구경하는 게 어떨까요?"

댄이 명랑한 미소를 띠면서 말했다.

충실한 기사는 보도의 가장자리로 걸어갔다. 그 옆에서 화려하고 아름다운 옷을 입은 루가 약간 거들먹거리면서 걸었다. 낸시는 제일 안쪽에서 날씬한 몸매에 복장은 참새처럼 수수했지만, 틀림없는 밴 올스타인 피셔 풍의 걸음걸이로 걸어갔다. 이렇게 세 사람은 조촐한 밤의 심심풀이를 위해 어딘가로 향했다.

큰 백화점을 하나의 교육 시설로 보는 사람은 많지 않을 것이다. 그러나 낸시가 근무하고 있는 백화점은 그녀에게는 일종의 교육 기관이나 다름없었다. 그녀는 취미와 세련미를 발산하는 아름다운 물건에 둘러싸여 있었다. 사치스러운 분위기 속에서 살고 있으면, 돈을 자기가 지불하든 남이 지불하든 사치가 몸에 배는 법이다.

낸시가 대하는 손님은 대부분 그 의상이나 예법이나 사교계에서의 지위로 보아 본보기로 뽑히는 부인들이었다. 그들에게서 낸시는 자기가 최상이라고 생각하는 것을 하나하나 배우기 시작했다.

어떤 부인에게서는 몸짓을, 다른 부인에게서는 눈썹을 멋지게 치켜올리는 법, 미소짓는 법을, 또 어떤 부인에게서는 걸음걸이와 핸드백 쥐는 법, 친구와 인사하는 법, 아랫사람에게 말을 건네는 법을 배워서 그것을 실행에 옮기곤 했다. 그녀가 가장 좋아하는 표본인 밴 올스타인 피셔 부인에게서는, 은방울처럼 맑고 티티새의 울음소리처럼 완벽에 가까운 부드럽고 낮은 목소리를 흉내내려고 했다.

백화점의 교육 과정은 매우 다양하다. 아마도 백화점만큼 그녀에게 평생의 야심――결혼이라는 상품――을 이룰 수 있는 준비를 시켜 주는 학교는 없을 것이다.

백화점 안에 있는 낸시의 담당 매장은 아주 좋은 곳이었다. 음악실이 가까이 있어 그녀는 대작곡가의 작품을 늘 들어 친해질 수 있었다. 적어도 그녀가 동경하고, 장차 발을 들여놓고자 하는 사교계에서 음악 감상가로 통할 만한 지식을 갖게 되었다. 또 미술품이나, 비싸고 고상한 옷감이나, 여성에게는 거의 교양이라고 해도 좋은 온갖 장식품 등에 대해서도 자연히 배우고 얻은 바가 있었다.

다른 처녀들도 곧 낸시의 야심을 알아챘다.

"얘, 너한테 맞는 백만장자가 왔어, 낸시."

그럴듯하게 보이는 남성이 낸시의 매장에 다가올 때마다 그녀들은 소곤거렸다.

함께 온 여성이 물건을 사고 있는 동안 할 일 없이 그 근처를 서성거리는 남자들은 손수건 매장으로 다가가서 흰 아마 고급 손수건을 멍하니 바라보는 것이 어느 새 습관이 되어 있었다.

낸시가 눈치로 배워서 얻은 기품과 타고난 고상한 아름다움이 남자들의 눈길을 끌었다. 그래서 많은 남자들이 그녀 앞에서 선심을 썼다. 그 가운데는 백만장자가 있을지도 모른다. 하지만 대개는 백만장자인 체하는 사람들이었다.

낸시는 그런 것을 분별해 내는 방법을 익혔다. 손수건 매장 끝에 창문이 있고, 거기서 내려다보면 아래쪽 거리에서 물건 사러 들어온 손님을 기다리며 늘어선 자동차가 보였다. 그녀는 그것을 내려다보고 있는 동안에 자동차도 그 주인처럼 저마다 다르다는 것을 깨달았다. 언젠가 멋진 신사가 손수건을 네 다스나 사고 계산대 너머로 꼭 코페튜어 왕 (거지의 딸과 결혼한 아프리카의 전설적인 왕) 같은 태도로 그녀에게 청혼한 적이 있었다.

그 신사가 떠나자 한 여점원이 말했다.

"낸시, 어떻게 된 거야? 그런 사람을 냉정하게 대하다니, 어디가 마음에 안 들어서 그래? 아주 멋진 남자 같던데."

낸시는 아주 냉담하고 애교 있게, 그리고 마치 남의 일처럼 밴 올스타인 피셔 부인 풍의 미소를 띠고 말했다.

"그 사람? 나한테는 안 맞아. 그 사람이 입구에 자동차를 세우고 내리는 것을 보았거든. 12마력짜리 자동차에 운전수는 아일랜드 사람이었어. 또 그 사람이 어떤 손수건을 샀는지 너도 봤지? 실크야! 게다가 손가락을 앓고 있었어. 내가 바라는 건 진짜야. 아니면 필요없어."

백화점 안에서 가장 세련된 여성 중의 두 사람——매장 주인과 회계——은 이따금 함께 식사하는 '멋진 남자 친구들'을 갖고 있었다. 한번은 그 모임에 낸시도 초대를 받은 적이 있었다. 식사한 장소는, 섣달 그믐날 밤에도 일 년 전에 자리를 예약해 두지 않으면 들어갈 수 없는 호화로운 식당이었다.

두 사람의 '멋진 남자' 가운데 한 명은 머리카락이 하나도 없었다. 또 한 사람은 자기의 재물과 유식함을 뚜렷한 두 가지 방법으로 나타내려 하는 젊은 남자였다. 즉, 모든 포도주에서 코르크 냄새가 난다고 비난함으로써 유식한 체했고, 다이아몬드 커프스 단추를 달음으로써 부자인 체했다.

이 청년은 낸시에게서 반항하기 어려운 아름다운 점을 발견했다. 그래서 그 다음 날 백화점에 나타나, 약초로 표백한 아일랜드 린네르로 만든 가장자리를 수놓은 손수건 상자 위로 몸을 내밀고 결혼해 달라고 청했다.

낸시는 거절했다. 갈색 머리를 폼파두 형으로 묶은 여점원 하나가 3미터쯤 떨어진 곳에서 그 광경을 지켜보고 있었다.

거절당한 청혼자가 사라지자, 그 여자가 낸시에게 다가와서 비난과 노여움을 나타냈다.

"넌 어쩌면 그렇게 바보니? 기가 막혀서! 그 사람은 백만장자야. 유명한 밴 스키틀스 노인의 조카란 말이야. 그리고 그는 진심으로 말한 거야. 너 좀 돈 거 아냐?"

"내가 돌았다고? 내가 그 사람을 잘못 봤다고? 그 사람은 네가 말하는 것처럼 대단한 부자가 아니야. 그가 일 년에 마음대로 쓸 수 있는 돈은 집에서 받는 2만 달러뿐이라고. 전번날 밤 식사를 할 때, 옆에 있던 대머리가 그 일을 가지고 놀렸어."

낸시가 말했다.

갈색 머리를 폼파두 형으로 묶은 처녀는 낸시 앞에 바싹 다가와서 눈살을 찌푸렸다.

"아니, 너는 대체 뭘 바라고 있니? 그것으론 부족하단 말이니? 일 년에 2만 달러로는 부족하단 말이니?"

목을 축이는 추잉검이 없는 그녀는 쉰 목소리로 말했다.

낸시는 상대가 약간 튀어나온 검은 눈으로 똑바로 쏘아보는 바람에 얼굴을 붉히며 변명했다.

"돈 문제만이 아니야, 캐리. 전번날 밤 식사할 때, 그 사람은 심한 거짓말을 하다가 친구에게 발각이 났어. 그건 어느 여자하고의 일이야. 그 사람은 그 여자와 같이 연극 구경을 간 적이 없다고 거짓말을 한 거야. 아무튼 난 거짓말을 하는 사람은 못 참아. 그러니까 따지고 보면, 난 그 사람이 싫은 거야. 그게 다야. 나는 내 자신을 싸구려로 팔진 않을 거야. 어쨌든 난 남자답게 등을 쭉 펴고 의자에 앉는 훌륭한 사람을 찾아야 해. 그래, 나무랄 데 없는 멋진 남성을 찾고 있는 거야. 장난감 저금통처럼 그저 요란한 소리를 내는 재주밖에 없는 남자는 싫어."

"너는 정신 병원에나 가야겠구나."

이렇게 말하고 갈색 머리 처녀는 가 버렸다.

주급 8달러의 생활을 하면서도 낸시는 이상적이라고는 할 수 없지만,

큰 희망을 마음 속에 계속 키워 나갔다. 밤잠도 자지 않고, 아직 보지 못한 커다란 수확물을 찾아 바짝 마른 빵을 씹으며 날로 여위어 갔다. 백화점은 그녀의 사냥터였다. 훌륭한 뿔을 가진 거물 같은 사냥감에 그녀는 몇 번이나 총을 겨누었다. 하지만 언제나 마음 깊숙이 있는 정확한 본능이——그것은 아마도 사냥꾼으로서의 본능이기도 하고 여성으로서의 본능이기도 할 것이다.——방아쇠를 당기지 않고 다시 발자취를 더듬게 하는 것이었다.

루는 세탁소에서 만사가 순조로웠다. 주급 18달러 50센트 가운데 6달러는 방세와 식비였다. 나머지는 주로 옷 사는 데 썼다. 취미나 예의범절을 향상시켜 주는 기회는 낸시에 비하면 거의 없다고 해도 좋을 것이다. 일과가 끝나면 무엇을 하며 놀까 하고 생각하는 것이 고작이었다.

하루의 일이 끝날 무렵이면 댄이 밖에서 기다려 주었다. 그는 언제나 그녀를 따라다니는 충실한 그림자였다.

때때로 그는 고상해지기보다 화려해져 가는 그녀의 옷차림을 약간 난처한 눈빛으로 바라보았다. 그러나 그것이 그의 마음이 그녀에게서 떠났기 때문은 아니었다. 거리를 걸을 때 남의 시선을 끄는 게 불쾌했던 것이다.

루는 낸시에 대해 남자 친구에 못지않게 충실했다. 댄과 놀러 갈 때는 반드시 낸시도 함께 갔다. 댄은 그 부담을 기꺼이 받아들였다.

그녀들을 호위하는 댄으로 말하면, 말쑥하기는 하지만 온화하고 이렇다 할 특징이 없는 소유자로서, 결코 남을 놀라게 하는 일도 없고, 남과 싸우는 일도 없었다. 함께 있는 동안은 그 존재를 잊어버리기 쉬워도, 없으면 뚜렷이 생각나는 그런 선량한 남자였다.

낸시의 고상한 취미로 본다면, 이런 평범함은 때로 좀 쓸쓸한 맛이 났다.

한번은 루가 낸시에게 말했다.

"댄은 늘 곧 결혼하자는 거야. 하지만 난 결혼할 생각은 없어. 난 누구의 신세도 지고 싶지 않아. 내가 번 돈으로 얼마든지 살아갈 수 있는걸. 그리고 그는 내가 결혼한 뒤에 일을 하는 건 절대로 반대야. 그건 그렇고 낸시, 넌 왜 입을 것도 제대로 입지 못하면서 그런 낡은 백화점에 매달려 있니? 생각이 있다면 지금 당장이라도 세탁소에 일자리를 찾아 줄게."

"난 먹을 것을 못 먹더라도 지금 직장에 그냥 있는 편이 좋아. 이젠 습관이 되어 버린 것 같아. 내가 갖고 싶은 건 기회야. 언제까지나 진열대 뒤에 서 있을 생각은 없어. 나는 매일 뭔가 새로운 것을 배우고 있는 거야. 언제나 세련된 돈 많은 사람들과 얼굴을 맞대고 있으니까…… 비록 그 사람들의 심부름을 해 주고 있는 것뿐이지만, 나는 내 주위에서 일어나는 어떤 기회도 절대로 놓치지 않아."

낸시가 말했다.

"네 백만장자는 아직 붙잡히지 않았니?"

루가 놀리듯이 웃으며 물었다.

"아직 마음에 드는 사람을 고르지 못했어. 두루 찾고 있는 중이야."

낸시가 대답했다.

"어머나, 놀랐어! 마음에 드는 사람을 고르고 있다고? 설마 진심으로 그런 말을 하는 건 아닐 테지? 부자는 우리 같은 일을 하는 여자는 상대도 안해."

"상대하는 편이 자기들한테도 좋을 텐데. 우리들 중에는 부자에게 돈 쓰는 방법을 가르쳐 줄 사람이 얼마든지 있어."

낸시가 재치있게 말했다.

"나는 만일 부자가 말을 걸어 오면, 간질병을 일으킬지도 몰라."

"그건 네가 그런 사람을 하나도 모르기 때문이야. 부자와 그렇지 못한 사람과의 차이는 이쪽에서 부자를 더 조심해야 한다는 것뿐이야. 그런데 루, 그 빨간 실크 안감은 그 외투에 지나치게 화려하잖니?"

"그렇지 않아. 하지만 네가 입고 있는 그 바랜 옷과 비교하면 그렇게 보일는지도 몰라."

"이 웃옷은 밴 올스타인 피셔 부인이 전번에 입었던 것과 똑같이 만든 거야. 옷감이 3달러 98센트나 들었어. 부인 것은 이것보다 백 달러는 비쌀 거야."

낸시가 자신만만하게 말했다.

"그래? 그런 것이 백만장자를 낚는 미끼는 안 될 것 같다만, 어쩌면 너보다 먼저 내가 부자를 붙잡을는지 몰라."

루가 가볍게 받아넘겼다.

이 두 사람이 저마다 주장하는 의견 중 어느 쪽에 승리의 깃발을 올려 줘야 할는지는 철학자가 아니면 모를 것이다.

어느 목요일 저녁, 낸시는 백화점에서 나와 6번가를 가로질러 서쪽에 있는 그 세탁소로 향했다. 루와 댄과 함께 뮤지컬 코미디를 보러 가게 되어 있었던 것이다.

그녀가 세탁소에 닿자, 마침 댄이 그 가게에서 나오는 중이었다. 그는 딱딱하게 굳은 표정을 하고 있었다.

"그 사람한테서 무슨 소식이 없나 하고 들러 봤습니다."

그가 말했다.

"누구 소식 말이에요? 루가 가게에 없어요?"

낸시가 물었다.

"당신은 아는 줄 알았는데. 그 사람은 월요일부터 이 가게에도 나오지 않고, 또 지금까지 살고 있던 하숙에도 없습니다. 짐도 하숙에서 몽땅 실어내 갔어요. 세탁소의 한 여자 종업원에게 유럽으로 갈는지 모른다고 했다는군요."

"어디서 루를 보았다는 사람은 없나요?"

낸시가 물었다.

댄은 이를 악물고 잿빛 눈에 강철 같은 차가운 빛을 띠고 그녀를 똑바로 바라보았다.

"세탁소 사람들 말로는, 그 사람이 자동차를 타고 지나가는 것을 보았답니다. 아마 당신과 루가 언제나 머릿속에서 쫓아다니던 그 백만장자의 한 사람과 같이 타고 있었겠죠."

댄이 쉰 목소리로 말했다.

남자 앞에서 낸시가 움찔한 것은 이번이 처음이었다. 그녀는 약간 떨리는 손으로 댄의 소맷자락을 잡았다.

"댄, 당신은 내게 그런 말을 하실 권리는 없어요. 마치 내가 이 일에 관계나 있는 것처럼!"

"아니, 그런 뜻으로 한 말은 아닙니다."

댄은 태도를 누그러뜨리며 말했다. 그리고 조끼 주머니를 뒤지더니, 사나이답게 쾌활한 어조로 말을 이었다.

"오늘 밤의 쇼 입장권을 갖고 있어요. 만일 당신이라도……."

낸시는 남이 씩씩하게 견디는 것을 보면 언제나 마음이 움직였다.

"함께 가겠어요. 댄."

그녀는 대답했다.

낸시가 루와 다시 만난 것은 그로부터 석 달이 지난 뒤였다.

어느 날 저녁, 여점원은 조용한 공원의 울타리를 끼고 집을 향해 걸음을 재촉하고 있었다. 누군가 이름을 부르는 소리에 뒤돌아보는 순간, 루가 그녀의 팔 안에 뛰어들었다.

우선 서로 껴안고 난 뒤, 그녀들은 당장 덤벼들거나 아니면 상대편을 얼어붙게 하려는 뱀처럼 머리를 곧추 세운 채 재빨리 돌아가는 혀로 연거푸 서로의 소식을 물었다.

이윽고 낸시는 행운이 루를 찾아온 것을 알았다. 값비싼 털가죽 외투, 번쩍거리는 보석, 재단사가 솜씨를 발휘한 최신 유행의 옷이 그것을 말해 주고 있었다.

"넌 바보야. 아직도 그 백화점에서 일하고 있는 모양이지? 여전히 초라한 옷을 입고. 네가 잡으려던 그 큰 사냥감은 어떻게 됐니? 보아하니 아직 아무것도 못 잡은 모양이구나."

루가 큰소리로 다정하게 말했다.

이윽고 루는 친구를 바라보고 있는 동안에 재물보다 더 소중한 그 무엇이——눈 속에서 보석보다 더 아름답게 반짝이고, 두 볼은 장미보다 더 붉게 빛나고, 혀 끝에서 굴러나오려고 전기처럼 약동하는 그 무엇이——낸시에게 생긴 것을 깨달았다.

"그래, 아직도 그 백화점에 있어. 하지만 다음 주에는 그만둘 생각이야. 드디어 쏘아 맞혔거든, 이 세상에서 제일 멋진 사냥감을. 저어……. 루, 이젠 너도 상관없을 테지? 댄과 결혼하게 되었어. 댄과……. 그는 이제 나의 댄이야. 근사하잖니, 루?"

낸시가 말했다.

머리를 말끔히 깎아 올리고 매끈한 얼굴을 한 젊은 경찰관이 공원 모퉁이를 천천히 돌아왔다. 비싼 모피 코트를 입고 다이아몬드 반지를 낀 여자가 공원의 철책 앞에 웅크린 채 몹시 흐느끼고 있는 것이 그의 눈에 띄었다. 그리고 여위고 검소한 옷차림의 젊은 여자가 그 곁에 쪼그리고 앉아 울고 있는 여자를 달래려 하고 있었다.

그러나 이 혼혈인 출신의 경찰관은 새로운 시대의 인간이므로 못 본 체하고 그 곁을 스쳐갔다. 그 소리가 가장 먼 별에 이르도록 경찰봉으로 길바닥을 두들겨 보아도, 그가 대표하는 경찰관은 이런 문제에 관한 한 아무 도움도 되지 못한다는 것을 충분히 알고 있었기 때문이다.

녹색의 문

루돌프 슈타이너는 진실한 모험가였다. 그가 생각지도 않던 일이나 얼토당토않은 일을 찾아서 홀 끝에 있는 침실에서 빠져 나가지 않는 밤은 거의 없었다. 인생에서 가장 흥미있는 일이 바로 다음 길모퉁이를 돌아선 곳에 있는 듯이 여겨졌기 때문이다.

때로는 운을 시험해 보고 싶은 기분 때문에 괴상한 골목길로 들어가는 일도 있었다. 경찰서에서 잔 적도 두 번이나 있었다. 욕심쟁이 사기꾼에게 걸린 적도 한두 번이 아니었다. 달콤한 유혹에 속아 시계와 돈을 빼앗긴 일도 있었다. 그러나 그는 조금도 식지 않는 열정으로 모든 도전에 응하여, 유쾌한 모험가의 명단에 이름을 기록해 나갔다.

어느 날 밤, 루돌프는 일찍이 이 도시의 중심부였던 곳을 남북으로 꿰뚫은 거리를 어슬렁어슬렁 걸어가고 있었다. 두 줄기 인간의 물결이 길을 메우고 있었다. 한쪽은 서둘러 집으로 돌아가는 사람들이고, 한쪽은 화려한 조명이 빛나는 식당에서 형식뿐인 환영을 받기 위해 집으로 돌아가기를 포기한 사람의 무리다.

이 젊은 모험가는 체격도 좋고 태도도 신중하며 주의깊었다. 그는 피아노 가게의 판매원이었다.

갑자기 길가의 유리 진열장 안에서 이빨이 심하게 부딪치는 소리가 났다. 메스꺼운 기분과 함께 그 진열장이 놓여 있는 앞쪽 식당으로 그의 주의가 쏠렸다.

그러나 다시 바라보니 옆집인 치과 간판의 전광 문자가 보였다. 수를 놓은 빨간 웃옷에 노란 바지, 게다가 군모를 쓴 묘한 차림의 키 큰 흑인이 지나가는 사람들에게 조심스럽게 광고지를 나누어 주고 있었다.

치과의 이런 광고 방법은 루돌프에게는 눈에 익은 광경이었다. 그는 대개 치과의 광고지를 나눠 주는 사람 곁을 그냥 지나쳐, 광고지의 숫자를 줄여 주려 하지 않는다. 그러나 오늘 밤에는 그 아프리카 인이 하도 교묘하게 한 장을 그의 손에 쓱 밀어넣었으므로, 그대로 손에 들고 그 재빠른 솜씨에 빙그레 웃었다.

몇 미터 더 가서 무심코 광고지를 들여다보고 깜짝 놀란 그는 흥미를 가지고 종이를 뒤집어 다시 한 번 살펴보았다. 종이의 한쪽은 백지였으나, 그 뒤쪽에는 잉크로 '녹색의 문'이라는 글자가 씌어 있었다.

그 때, 루돌프는 세 걸음쯤 앞에서 어떤 사람이 흑인이 준 광고지를 버리는 것을 보았다. 그것을 주워서 보니, 거기에는 치과 의사의 이름과 주소, 그리고 '무통 치료' 같은 그럴듯한 선전 문구가 인쇄되어 있었다.

모험을 좋아하는 피아노 판매원은 길모퉁이에서 걸음을 멈추고 잠시 생각에 잠겼다.

이윽고 루돌프는 길을 건너 한 블록쯤 내려갔다가, 다시 건너와 아까 그 길로 흘러가는 사람의 물결 속에 끼어들었다.

두 번째로 그 흑인 곁을 지나갈 때는 시치미를 떼고 쥐어 주는 종이를 받았다. 열 걸음쯤 가서 종이를 살펴보았다. 먼저 받은 것과 똑같은 필적으로 역시 '녹색의 문'이라고 씌어 있었다. 그의 앞뒤에서 지나가던 행인들이 서너 장의 종이를 길에 버렸다. 그것들은 모두 아무것도 씌어 있지 않은 면을 위로 향한 채 떨어져 있었다. 루돌프는 그것들을 뒤집어 보았다. 어느 종이에나 치과 진료실의 판에 박은 문구가 인쇄되어 있었다.

루돌프는 건장한 흑인이 딸가닥거리는 이빨 상자 옆에 서 있는 곳까지 천천히 돌아갔다. 이번에는 옆으로 지나가면서 종이를 받지 않았다. 화려하고 우스꽝스러운 의상을 입고 있는데도 이 에티오피아 인은 어떤 사람에게는 공손히 종이를 나누어 주고, 어떤 사람은 그냥 지나가게 내버려 두면서 타고난 야생의 위엄을 보이며 그 자리에 서 있었다.

그는 30초마다 전차 차장과 그랜드 오페라의 알아듣기 어려운 문구 비슷한 귀에 거슬리는 뜻모를 말을 되풀이하고 있었다. 그리고 이번에는 루돌프에게 광고지를 주지 않았다.

루돌프는 그 번들번들 빛나는 큼직한 검은 얼굴에서 냉담하고 모욕적인 시선마저 본 것처럼 느껴졌다.

이 시선이 모험가를 크게 자극했다. 그는 그 시선에서, 너 가지고는 안 되겠다는 것을 알았다는 무언의 비난을 읽었다. 종이에 씌어 있는 수수께끼 같은 말이 무엇을 뜻하든, 흑인은 두 번씩이나 그 많은 군중 속에서 그를 선택했던 것이다. 그런데 지금은, 너는 그 수수께끼를 풀 능력도 용기도 없다고 단정해 버린 것처럼 여겨진 것이다.

혼잡에서 빠져 나온 청년은 모험이 숨어 있는 것이 틀림없어 보이는 건물을 재빨리 살펴보았다. 그것은 5층 건물이었다. 조그만 식당이 지하실을 차지하고 있었다.

1층은 벌써 닫혀 있었는데, 여성용 장식품점이나 모피상 같았다. 2층은 번쩍거리는 전광 문자를 보고 치과라는 것을 알았다. 또 그 위는 창문에 쳐진 커튼이며 창턱에 놓여 있는 흰 우유병 등으로 가정집이라는 것을 알 수 있었다.

관찰을 끝낸 루돌프는 높은 돌층계를 뛰어올라가 건물 안으로 들어갔다. 융단을 깐 계단을 올라가 그 꼭대기에서 걸음을 멈추었다. 그 복도

에는 두 개의 창백한 가스등이 켜져 있었다.

가스등 하나는 저만치 오른쪽에 있었고, 하나는 더 가까이 왼쪽에 있었다. 빛이 희미하게 비치고 있었다. 가까운 불빛 쪽을 바라본 그는 창백한 불빛의 동그라미 속에서 녹색의 문을 보았다. 순간, 그는 망설였다. 그러나 그 때, 종이를 나누어 주던 아프리카 인의 오만한 비웃음이 떠올랐다. 그래서 그는 곧장 녹색의 문으로 다가가 두드렸다.

방 안에서 희미하게 옷자락 스치는 소리가 들리더니 서서히 문이 열렸다. 아직 스물도 안 되어 보이는 젊은 여자가 창백한 얼굴로 비틀거리며 나타났다. 처녀는 손잡이를 놓더니 한 손으로 무엇을 더듬으면서 힘없이 쓰러졌다.

루돌프는 처녀를 안아다가 벽가에 있는 퇴색한 긴 의자에 뉘었다. 그는 문을 닫고 깜박거리는 가스등 불빛 아래서 재빨리 방 안을 둘러보았다. 깨끗하기는 하지만 몹시 가난하다는 것을 알 수 있었다.

처녀는 정신을 잃은 채 꼼짝도 않고 누워 있었다. 루돌프는 방 안에 통이 없나 하고 살폈다. 정신을 잃은 사람은 통에 얹어서 굴려야 한다. 아니, 아니다. 그건 물에 빠진 사람의 경우지. 그는 자기 모자로 그녀의 얼굴을 부채질하기 시작했다. 그것이 효과를 나타냈다. 왜냐하면 중산모의 차양이 코 끝에 부딪쳐 처녀가 눈을 떴기 때문이다.

그 순간 청년은 그녀의 얼굴이 바로 자기 마음 속 깊숙이 간직하고 있는 초상화의 화랑에서 잃어버린 얼굴이라는 것을 깨달았다. 그 앳된 잿빛 눈, 약간 위로 향한 조그마한 코, 완두콩 덩굴처럼 돌돌 말린 밤색 머리칼 등……. 이것이야말로 모든 모험의 참된 결말이자 보람이라고 여겨졌다. 그러나 그녀의 얼굴은 무척이나 여위고 창백했다.

처녀는 그를 바라보더니 희미하게 미소를 지으며 물었다.

"내가 까무러쳤었나 보죠? 하지만 누구나 그렇게 될 거예요. 사흘이나 아무것도 먹지 않고 지냈으니까요."

루돌프는 깜짝 놀라 소리쳤다.

"뭐라고요! 내가 다시 올 때까지 기다려요."

그는 녹색의 문을 나와 충계를 달려 내려갔다.

그는 20분 뒤에 다시 돌아와 발끝으로 문을 차서 열었다. 식료품 가게와 식당에서 산 물건을 두 팔에 가득 안고 있었다. 그는 그것을 식탁 위에 늘어놓았다. 버터를 바른 빵, 냉동 쇠고기, 과자, 파이, 야채절임, 굴, 구운 통닭, 우유 한 병, 그리고 뜨끈뜨끈한 홍차 한 병.

"먹지 않고 있다니, 정신 나간 짓이야! 자, 저녁 식사 준비가 다 됐어요."

그는 호통치듯 말하고, 처녀를 부축하여 식탁 의자에 앉히면서 물었다.

"찻잔 있나요?"

"창문 옆 선반에 있어요."

그녀가 대답했다.

그가 찻잔을 들고 오니, 처녀는 눈을 빛내면서 여성의 본능으로 종이 봉지에서 찾아낸 오이절임을 먹기 시작했다.

그는 웃으면서 그것을 빼앗고 찻잔 가득 우유를 따랐다. 그리고 명령했다.

"이것부터 먼저 마시고, 홍차를 좀 먹어요. 그런 다음, 닭고기의 날갯죽지를 먹어요. 상태가 아주 좋으면 내일은 오이절임을 주죠. 그런데 나를 손님으로 맞이해 준다면, 함께 식사를 하고 싶은데요."

그는 의자 하나를 끌어당겨 앉았다.

홍차는 처녀의 눈을 빛나게 했고, 얼굴에도 약간 혈색이 되살아나게 했다. 그녀는 굶주린 야수처럼 먹기 시작했다. 젊은 남자가 앞에 있는 것도, 그 남자가 구원의 손길을 뻗쳐 준 것도 모두 당연한 것처럼 생각하고 있는 것 같았다. 그것은 세상의 관습을 무시한 태도가 아니라, 너무나 가난해서 체면치레는 집어치우고 인간답게 행동할 권리라도 얻은 듯한 태도였다.

그러나 차츰 힘과 여유를 되찾게 되자 몸에 밴 세상의 관습에 생각이 미쳤는지, 그녀는 자기 신상 이야기를 꺼냈다. 그것은 도시 사람이라면 하품이 나도록 듣고 있는 수많은 이야기 중의 하나였다. 말하자면 '벌금' 때문에 오히려 급료가 줄고, 병이 들어 쉬다가 마침내 직장을 잃고, 희망마저 잃고, 그리고 바로 그 때 이 모험가가 녹색의 문을 두드렸던 것이다.

그러나 루돌프에게는 그녀의 신상 이야기가 〈일리아드〉나 〈주니의 사랑의 시련〉에 나오는 얘기만큼이나 중대하게 생각되었다.

"그렇게 고생한 걸 생각하면……."

그는 한탄했다.

"정말로 괴로웠어요."

처녀는 심각하게 말했다.

"이 도시에 친척도 친구도 없나요?"

"한 사람도 없어요."

"나도 이 세상에서 외톨이죠."

루돌프는 잠시 사이를 두고 말했다.

"차라리 그 편이 기뻐요."

처녀가 말했다. 자신의 외로운 처지를 인정해 주는 것이 루돌프의 마음을 기쁘게 했다.

갑자기 처녀는 눈을 감고 깊은 한숨을 쉬었다.

"전 무척 졸려요. 그리고 기분이 아주 좋아요."

그녀가 말했다.

루돌프는 일어서서 모자를 집어들었다.

"그럼 저는 가겠습니다. 하룻밤 푹 쉬면 아마 힘이 날 겁니다."

그가 손을 내밀자, 처녀는 그 손을 잡고 말했다.

"안녕히 가세요."

그러나 그녀의 눈은 너무나 솔직하게, 그리고 안타까이 묻고 있었으므로 그는 말로써 대답했다.

"내일 또 오겠습니다. 아마 쉽게 나를 떨쳐 버릴 순 없을걸요."

문간에서 처녀는, 그가 어떻게 여기 왔느냐 하는 것은 그가 왔다는 사실에 비하면 조금도 중요하지 않은 듯이 물었다.

"어떻게 제 방문을 두드리게 되었죠?"

그는 잠시 처녀를 바라보았다. 그리고 광고지 생각을 하면서 갑자기 고통스러울 만큼 질투를 느꼈다. 만일 그 광고지가 자기와 똑같이 모험을 좋아하는 다른 남자의 손에 들어갔더라면 어떻게 되었을까?

재빨리 그는 결코 이 처녀에게 사실을 알려서는 안 된다고 결심했다. 그녀가 너무나도 곤궁해서 할 수 없이 사용한 그 색다른 편법을 자기가 알고 있다는 것을 그녀에게 알려서는 안 되었다.

"우리 가게의 피아노 조율사가 이 건물에 살고 있는데, 그만 잘못해서 이 방문을 두드린 겁니다."

녹색의 문이 닫히기 전에 그 방에서 그가 마지막으로 본 것은 그녀의 미소였다.

그는 층계 위에서 걸음을 멈추고 이상한 듯 주위를 두리번거렸다. 그리고 복도 저쪽 끝까지 갔다가 돌아와서는 다시 위층으로 올라와서 영문을 알 수 없는 조사를 계속했다. 이 집에서 그가 본 문이란 문은 모두 녹색으로 칠해져 있었던 것이다.

이상하게 생각하면서 그는 보도로 내려갔다. 그 기묘한 아프리카 인은 아직 그 자리에 있었다. 루돌프는 두 장의 광고지를 쥐고 그 앞에 가서 섰다.

"당신이 어째서 이 종이를 나한테 주었는지, 또 이게 무슨 뜻인지 가르쳐 주지 않겠소?"

그가 물었다.

흑인은 호감이 가는 환한 웃음을 띠며 길 건너편을 가리켰다.

"저겁니다요, 손님. 하지만 제1막은 좀 늦었는뎁쇼."

흑인이 가리키는 쪽을 보니, 극장 입구 위에 '녹색의 문'이라는 새 상연물의 전광 문자가 찬란히 빛나고 있었다.

"꽹장히 좋은 연극이라던데요, 손님. 저 연극을 공연하는 양반이 1달러를 주면서 치과의 광고지와 함께 이 광고지도 좀 나누어 주라고 그러더군요. 치과의 광고지도 한 장 드릴까요, 손님?"

루돌프는 자기가 사는 동네 모퉁이에 와서 걸음을 멈추었다. 맥주를 한 병 들이켜고, 시가를 한 개 샀다.

시가에 불을 붙여 물고 나온 그는, 웃옷 단추를 끼우고 모자를 뒤로 약간 젖히고는 길모퉁이의 가로등을 향해서 단호하게 말했다.

"그녀를 발견하도록 해 준 것은 운명의 신이 한 일이라고 나는 믿는다."

차가 기다리는 동안

땅거미가 지기 시작할 무렵, 그 적막한 조그만 공원의 외진 모퉁이에 회색 드레스를 입은 여자가 다시 모습을 나타냈다. 그녀는 벤치에 앉아 책을 읽었다.

되풀이하지만, 그녀의 드레스는 회색이었다. 스타일도 바느질 솜씨도 어디 하나 흠잡을 데가 없었지만, 너무 수수해서 두드러지게 남의 눈에 띄지는 않았다. 얇은 베일이 터번 형 모자와 함께 차분하고 얌전한 아름다움이 깃들여 반짝이고 있었다. 그녀는 어제도 그 전날도 같은 시각에 이 곳에 나타났다. 그런데 이 사실을 아는 남자가 있었다.

그것을 알고 있는 청년은 주위를 서성거리면서, 위대한 행운의 신에게 바친 희생의 효과를 기대하고 있었다. 그의 이 믿음은 보람이 있었다. 왜냐하면 그녀가 페이지를 넘기는 동안 책이 손에서 미끄러져 벤치에서 1미터 저편에 굴러 떨어졌기 때문이다.

청년은 때를 놓치지 않고 뛰어가 사람들이 많은 곳에서 흔히 볼 수 있는 그 태도, 즉 정중함과 기대와 순찰 중인 경찰관에 대한 세심한 주의 등이 뒤섞인 행동으로 그 책을 집어 주인에게 돌려주었다. 그리고는 활기찬 목소리로 날씨에 대한 아무 소용도 없는 인사를 건네 보았다.

실은 이런 화제야말로 이 세상의 비운 중의 매우 많은 부분에 대해서 책임을 져야 하는 것이다. 그리고 잠시 조용히 서서 자신의 운명을 기다렸다.

여자는 천천히 그를 훑어보았다. 평범하고 단정한 복장, 표정에도 이렇다할 특징이 없는 것이 특징으로 되어 있는 외모였다.

"상관 없으시면, 앉으셔도 괜찮아요. 사실은 앉아 주셨으면 좋겠어요. 책을 읽기에는 이제 너무 어두워서요. 얘기를 하는 편이 더 좋겠어요." 그녀는 차분하고 낮은 목소리로 말했다.

행운을 섬기는 하인은 좋아라 그녀 곁에 앉았다. 그는 공원에서 열리는 집회에서 의장이 개회사를 할 때 흔히 쓰는 말로 시작했다.

"아시겠습니까? 저는 무척 많은 여성을 보아 왔습니다만, 당신만큼 황홀한 분은 일찍이 본 적이 없습니다. 전 어제도 당신에게 온 신경이 쏠려 있었습니다. 당신의 그 아름다운 눈동자에 한 남자가 넋을 잃어버렸다는 사실을 아마 모르실 줄 압니다."

"어떤 분인지 모르지만, 잊으시면 안 돼요. 제가 숙녀라는 것을……. 하지만 방금 그 당신이라는 말은 너그럽게 봐 드리겠어요. 선생님 같은 분들 사이에선 별로 잘못이 아닐 테니까요. 앉으시라고 말씀드렸지만, 그래서 저에게 그렇게 친절한 말씀을 하신다면 전 방금 그 권유를 취소하겠어요."

그녀가 냉담한 어조로 말했다. 청년은 사과했다. 조금 전까지의 흐뭇한 표정은 후회와 수치의 표정으로 바뀌어 있었다.

"무례를 진심으로 사과드립니다. 제가 실수했습니다. 실은……. 말하자면 공원에 온갖 여자들이 오기 때문에……. 그래서……. 물론 당신은 잘 모르시겠지만……."

"그런 얘기는 그만두세요. 물론 전 알고 있어요. 그보다는 오솔길을 거니는 사람들에 대해서 좀 가르쳐 주세요. 저 사람들, 대체 어딜 가는 거죠? 왜 저렇게 서두르는 거죠? 저 사람들은 행복할까요?"

"저 사람들을 보고 있으면 참 재미있습니다. 이거야말로 참으로 근사한 인생극입니다. 저녁 식사를 하러 가는 사람도 있고, 또…….
저……. 어디 다른 곳에 가는 사람도 있지요. 저 사람들은 대체 어떤 과거를 갖고 있을까요?"

그는 여자의 기분을 슬쩍 살피면서 말했다.

"전 그런 건 생각하지 않아요. 저는 남의 일을 미주알고주알 파고드는 걸 좋아하지 않거든요. 제가 공원에 와서 이렇게 앉아 있는 것은, 인간의 위대하고 생생한 마음을 그런대로 느낄 수 있는 곳은 여기뿐이기 때문이에요. 제게 주어진 인생극의 역할은 그런 생생한 움직임을 조금도 느낄 수 없는 것이거든요. 어째서 제가 선생님에게 말을 건넸는지, 그 이유를 아시겠어요? 저어……."

여자가 말했다.

"파큰스태커입니다."

청년은 그녀의 말 뒤에 자기 이름을 이야기했다.

여기서 그는 열렬한 희망이 넘치는 표정이 되었다.

여자는 가냘프게 웃었다.

"모르시죠? 하지만 곧 아시게 될 거예요. 신문이나 잡지에 이름이 나지 않게 할 방법이 도무지 없으니까요. 사진도 그렇고요. 이렇게 하녀의 베일과 모자를 써야만 그럭저럭 신분을 감추고 외출할 수 있죠. 선생님께 보여 드리고 싶네요. 우리 집 운전수가 이렇게 차리고 외출하는 제 모습을 놀란 듯이 쳐다보던 표정을 말씀이에요. 사실을 말씀드리면, 가장 고귀한 가문을 나타내는 성이 대여섯 개 있는데, 제 성은 그 중의 하나랍니다. 제가 말을 건넨 것도 스타크퍼트 씨……."

"파큰스태커입니다."

청년은 고쳐서 말했다.

"아, 파큰스태커 씨, 하다못해 한 번이라도 자연 그대로의 인간……. 천한 재물로 인한 겉치레나 덧없는 사회적 우월감 따위에 더럽혀지지 않은 사람과 얘기를 나누고 싶었기 때문이에요. 아아! 제가 얼마나 지루해하고 있는지 아마 모르실 거예요. 돈, 돈, 돈! 정말 지긋지긋해요. 게다가 내 주위에 있는 사람들만 해도 모두가 똑같은 모양으로 만들어진 꼭두각시 인형이 춤추고 있는 거나 다름없어요. 오락도, 보석도, 여행도, 사교도……. 이젠 정말 진절머리가 나요."

"저는 늘 생각하고 있었습니다. 돈이란 아마 근사한 것이겠지 하고 말입니다."

청년은 망설이면서도 용기를 내어 말했다.

"모자라지도 남지도 않는 재산, 그것이 제일 바람직하다고 생각해요. 백만 달러가 있어 보세요. 그야말로 단조로움, 바로 그것이랍니다."

그녀는 절망적인 몸짓으로 결론을 내렸다. 그리고 다시 말을 이었다.

"정말로 진절머리가 나요. 드라이브, 오찬회, 연극, 만찬회, 더욱이 그게 모두 넘치도록 많은 돈으로 장식되어 있거든요. 샴페인 글라스 속에서 울리는 얼음 소리만 들어도 머리가 이상해질 때가 있답니다."

파큰스태커는 천진난만한 얼굴로 흥미를 나타내 보이고 있었다.

"저는 돈 많은 상류 계급 사람의 생활에 대해 책에서 읽거나 얘기를 듣거나 하기를 즐겨 했습니다만, 이제 보니 제 지식은 어중간한 것이 었나 봅니다. 그래서 제 지식을 정확하게 해 두기 위해 여쭤 보는 것입니다만, 저는 여태까지 샴페인을 병째로 차게 하는 것이지, 글라스에 얼음을 넣어서 차게 하는 것이 아닌 줄 알고 있었는데, 어떻습니까?"

청년이 물었다.

여자는 참으로 우습다는 듯이 음악적인 웃음소리를 냈다.

"우리네 상류 계급 사람들은 보통의 습관을 깨는 것을 즐겁게 여긴답니다. 요즘은 괴상하게도 샴페인 글라스에 얼음을 넣는 게 유행이죠. 그건 지금 이 곳에 와 계시는 타타로 왕자님이 월도프 호텔에서 디너 파티를 베풀 때 시작하셨어요. 하지만 이것도 곧 다른 습관으로 바뀌겠죠. 사실 이번 주에도, 매디슨 애비뉴에서 베풀어진 디너 파티에서 손님들의 접시 옆에 제각기 새끼 염소 가죽으로 만든 초록색 장갑이 놓여 있었는데, 그 장갑을 끼고 올리브를 먹는 취향이 생겼거든요."

그녀는 차분한 어조로 설명했다.

"아, 그렇습니까. 그런 사교계 깊숙한 곳에서 일어나고 있는 특수한 일은 서민들이 전혀 알지 못하지요."

청년은 겸손한 태도로 말했다.

여자는 그가 잘못을 인정한 데 대해서 가볍게 고개를 끄덕여 보이고 말했다.

"이따금 저는 만일 제가 사랑을 하게 된다면, 상대는 신분이 낮은 남자분이 아닐까 하고 생각하는 때가 있어요. 빈둥빈둥 놀고 먹는 사람이 아니라 일하는 사람 말씀이에요. 하지만 결국 저의 희망보다는 신분이나 재산이 요구하는 것이 승리하게 될지도 몰라요. 지금도 저는 두 사람한테서 청혼을 받고 있어요. 한 분은 독일 어느 공국의 대공이시죠. 그런데 대공의 주정 때문에 머리가 돌아 버린 부인이 어디 살고 있지 않은가, 혹은 있지 않았는가 그런 생각이 들어요. 또 한 분은 영국의 후작인데, 매우 인정머리 없고 돈에 추접스러워서, 오히려 대공의 악마주의 쪽을 택하고 싶을 정도예요. 제가 어째서 이런 말을 하지 않을 수 없는지 아시겠어요, 피큰스태커 씨?"

청년은 조그만 소리로 정정했다.

"파큰스태컵니다. 정말 제가 당신의 신뢰를 얼마나 고맙게 생각하고 있는지, 아마 모르실 겁니다."

여자는 두 사람의 신분의 차이를 나타내는 데 적합한 침착하고 비인간적인 눈초리로 살피듯이 그를 쳐다보았다.

"어떤 직업을 갖고 계세요, 파큰스태커 씨?"

그녀가 물었다.

"매우 천한 직업이지요. 그렇지만 저는 출세를 바라고 있습니다. 아까 당신은 신분이 낮은 남자라도 사랑할 수 있다고 말씀하셨는데, 진정으로 하신 말씀입니까?"

"그럼요. 하지만 저는 '할지도 모른다'고 말한 거예요. 그럴 수밖에 없는 것이, 지금은 대공도 계시고 후작도 계시거든요. 하지만 어떤 직업이든지 결코 천하다고는 할 수 없는 거예요. 제 이상에만 맞는 분이라면……."

"저는 지금 레스토랑에서 일하고 있습니다."

파큰스태커는 똑똑히 말했다.

여자는 좀 당황하는 것 같았다.

"설마 웨이터는 아니실 테죠? 노동은 신성해요. 하지만 하인이라든가, 웨이터라든가……."

"저는 웨이터가 아닙니다. 경리를 맡아 보고 있지요. 저기 보이는 저 레스토랑에서 경리를 맡아 보고 있습니다."

공원 반대쪽에 보이는 큰길에 '레스토랑'이라는 글자로 된 화려한 네온사인 간판이 번쩍거리고 있었다.

여자는 왼쪽 팔목의 고운 장식이 달린 팔찌에 새겨진 조그만 시계를 들여다보더니 황급히 일어섰다. 그리고 허리 언저리까지 팔을 올려서 손에 들고 있는 화려한 핸드백에 읽던 책을 쑤셔 넣었다. 핸드백에 비해 책이 너무 컸다.

"왜 오늘은 근무 안하세요?"

그녀가 물었다.

"오늘은 야근입니다. 근무 시간까지는 아직 한 시간 남아 있습니다. 다시 뵐 수 있을까요?"

"모르겠어요. 아마 뵐 수 있겠죠. 하지만 다시는 이런 변덕을 일으키지 않을지도 몰라요. 아무튼 빨리 가 봐야겠어요. 만찬회도 있고, 연극도 봐야 하거든요. 아아, 날마다 똑같은 일의 반복이에요! 아마 선생님은 여기 들어오시면서 공원 저편 입구에 세워 놓은 자동차를 보셨을 거예요. 흰색의⋯⋯."

"바퀴가 빨간 자동차 말씀이군요."

청년은 무엇을 생각하는 듯 미간을 찌푸리며 되물었다.

"그래요. 저는 언제나 그걸 타고 다니지요. 거기서 운전수 피에르가 기다리고 있어요. 피에르는 제가 광장 저편의 백화점에서 물건을 사고 있는 줄 알 거예요. 자기 운전수까지 속여야 할 만큼 구속된 생활을 이해해 주세요. 그럼 안녕히 계세요."

"이제 꽤 어두워졌습니다. 공원에는 불량배들이 많습니다. 상관없으시면 제가⋯⋯."

파큰스태커가 말했다.

"제 기분을 조금이라도 존중해 주실 생각이 있다면, 제가 떠난 뒤 10분만 이 벤치에서 떠나지 말아 주세요. 선생님을 언짢게 할 생각은 없지만, 자동차에는 대개 소유자의 이름을 새겨 넣은 판이 붙어 있잖아요? 그럼 다시 한 번 안녕히 계세요."

여자는 분명한 어조로 말했다.

그녀는 총총걸음으로 으스대면서 저녁의 어둠 속으로 사라져 갔다. 청년이 그 아름다운 모습을 황홀하게 바라보고 있으려니까, 그녀는 공원 끝의 보도까지 가서 그 보도를 따라 자동차가 서 있는 모퉁이로 걸어갔다. 그는 그녀와의 약속을 어기고 주저 없이 공원의 나무숲과 관목 사이로 걸음을 옮겼다. 그리고 그녀가 걸어가는 방향과 나란히, 그 모습을 놓치지 않도록 뒤를 따라가기 시작했다.

그녀는 모퉁이까지 가더니 힐끔 자동차를 쳐다보고, 그대로 자동차 옆을 지나 성큼성큼 길을 건너갔다.

마침 서 있던 자동차 뒤에 숨어서, 청년은 가만히 그녀의 행동을 지켜보았다. 공원 저편의 보도로 걸어 내려간 그녀는 화려하게 전광 간판이 번쩍이고 있는 식당 안으로 들어갔다. 그 곳은 이 근처에서 흔히 볼 수 있는 그럴듯한 식당의 하나로, 안에는 어지럽게 흰 페인트를 칠했고, 거울이 붙어 있었으며, 싼 값에, 그리고 약간은 사치스러운 기분으로 식사할 수 있는 곳이었다. 여자는 식당 안쪽 구석진 방으로 들어가더니 곧 모자와 베일을 벗어 놓고 나타났다.

경리의 책상은 입구 옆에 있었다. 그 때까지 그 자리에 앉아 있던 빨간 머리의 젊은 여자가 의자에서 내려오며, 보라는 듯이 힐끔 벽시계를 쳐다보았다. 그 다음에 앉은 사람이 회색 드레스를 입은 여자였다.

청년은 두 손을 호주머니에 찌르고 천천히 보도로 되돌아갔다. 길모퉁이에서 그의 발이 뒹굴고 있는 종이 표지의 조그만 책을 걷어찼다. 책은 잔디밭으로 날아갔다. 표지의 그림으로 조금 전 그 여자가 읽던 책이라는 것을 알았다.

그는 무심코 책을 집어서 뒤적여 보았다. 〈신 아라비아 야화〉. 작자는 스티븐슨이라고 되어 있었다. 그는 책을 다시 풀 위에 던져 버리고, 잠시 어떻게 할까 망설이듯 근처를 어슬렁거렸다.

이윽고 그는 그 자리에 서 있는 자동차에 올라타고 의자에 깊숙이 기대앉으며 운전수에게 말했다,

"앙리, 클럽으로."

돌아온 칼리오프

칼리오프 케이츠비는 또다시 화를 내고 있었다. 지루해하고 있는 것이었다. 기분이 좋지 않을 때, 철학자라면 혼자 중얼거리고, 여자라면 울고, 뚱뚱한 실업가라면 아내가 산 모자 청구서를 향해 투덜거릴지 모른다. 그러나 퀵샌드 주민들에게는 그런 것으로 충분치 못했다. 특히 칼리오프는 가끔 혼자만의 생각에 잠겨 기분을 풀었다.

그저께 밤부터 칼리오프는 불쾌감이 시작될 징조를 보이고 있었다. 그는 자기 개를 걷어차고도 사과할 마음이 생기지 않았다. 그는 다른 사람들을 헐뜯기 시작했다. 이것은 언제나 좋지 않은 징조였다.

그의 불쾌감이 점점 심해 가는 단계를 아는 사람에게 있어서 또 하나의 나쁜 징조는, 그가 점점 더 정중해지고 격식에 찬 말을 하는 것이었다. 그런 뒤 그가 입 왼쪽을 치켜올리며 빙긋 웃게 되면, 퀵샌드 사람들은 폭풍 속을 걸을 각오를 해야만 했다.

이런 단계에서 칼리오프는 술을 마시는 것이 보통이었다. 한밤중이 되면 도중에서 만나는 사람들에게 짐짓 부드럽고 정중하게 이야기를 걸면서 집으로 돌아가는 것이었다. 그러나 아직 칼리오프는 위험 단계에는 도달하지 않았다.

그는 창가에 앉아 날이 샐 때까지 기타를 치면서 가사가 슬픈 노래를 부른다. 이것이 마을 사람들에게 음악으로 보내는 그의 신호인 것이다.

칼리오프 케이츠비는 평소엔 얌전하고 상냥한 사나이였다. 기분이 최고인 때는 아무 일도 하지 않았고, 최악일 때는 퀵샌드의 공포였다. 원래 그는 남부의 어떤 주에서 왔다. 키가 크고 말이 느렸으며, 태어난 고장의 사투리로 이야기했다.

다음 날 아침 아홉 시에 칼리오프는 준비를 마쳤다. 허리에 비스듬하게 수평으로 탄창을 잰 벨트를 차고 몇 자루나 총을 들고는 취한 채로 퀵샌드의 한길로 나갔다. 마을 사람들을 놀라게 하지 않으려고 제일 처음 모퉁이에서 걸음을 멈추고 평소와 다름 없이 증기 피와노와 같은 무서운 소리를 냈다. 이것이 그의 이름인 칼리오프(증기 피아노)의 유래인 것이다.

그 뒤에 그는 곧 연습을 위해 3발총을 쏘았다. 노란 개 한 마리가 먼지 속에 쓰러졌다. 마침 석유병을 들고 지나가던 멕시코 사람이 깜짝 놀라 도망쳤다. 손에 깨진 병을 든 채였다. 간판 하나가 거의 떨어질 듯이 되어 바람에 흔들리고 있었다.

그의 무기는 준비 완료였다. 칼리오프의 손도 준비 완료였다. 그는 고요하고 온화한 싸움의 승리를 기뻐했으나, 그와 함께 그 승리가 작은 퀵샌드의 세계에 한정된 것을 약간 슬프게 생각했다.

칼리오프는 거리에서 좌우로 총을 쏘며 걸어갔다.

유리가 깨지고, 개가 도망쳤다. 닭들이 깜짝 놀라 숨고, 여자들은 밖에서 노는 아이들을 불러들였다. 이 소동은 그의 총소리로 중단되고, 퀵샌드에서는 잘 알려진 그의 무서운 목소리로 거리가 뒤덮였다. 칼리오프의 기분이 나쁜 날은 퀵샌드의 휴일이었다. 큰 거리에서는 점원들이 창을 내리고 문을 닫았다. 장사는 잠시 중단되었다. 모든 것이 칼리오프를 위해 정지되었다. 이런 것을 보면 그의 불쾌한 기분이 약간 가라앉았다.

그러나 길 건너편에서도 칼리오프와의 싸움에 대비하기 위해 바빠졌다. 그저께 밤 많은 사람들이 시의 경찰서장인 백 패터슨에게 칼리오프가 들이닥칠 것이라고 급히 알려 놓았었다. 백 패터슨은 이젠 인내에도 한계가 있다는 것을 깨달았다.

퀵샌드에서는 유능한 시민이 살해되거나 심한 손해가 생기지 않는 한, 대수롭지 않은 일에는 별로 개의치 않고 있었다. 그러나 칼리오프는 눈의 가시였다. 그가 끼친 손해는 점점 횟수가 많아지고, 크게 당한 사람도 많았다.

백 패터슨은 그의 작은 사무실에서 칼리오프가 불쾌감을 나타내는 첫 징조인 그 무서운 소리를 기다리고 있었다. 그 소리를 듣자, 경찰서장은 일어나서 총을 들었다. 두 명의 부하와 시민 세 명도 칼리오프의 총과 겨루기 위해 일어섰다.

"그놈을 해치워. 아무 말도 말고 되도록 빨리 쏴 버려. 어디 숨었다가 쓰러뜨려야만 해. 녀석은 보통 놈이 아니거든. 이번에는 칼리오프가 쓰러질 차례야. 조심해, 칼리오프는 겨냥했다 하면 명중시키니까."

백 패터슨이 말했다.

백 패터슨은 키가 크고 건장하며 진지한 얼굴을 하고 있었다. 셔츠에는 '시 경찰서장'의 기장이 번쩍번쩍 빛나고 있었다. 그는 부하에게 할 일을 지시했다. 목표는 한 사람도 다치지 않고 칼리오프를 쓰러뜨리는 일이었다.

칼리오프는 그런 계획이 있는 줄도 모르고, 총을 쏘면서 거리로 왔다. 그리고 드디어 앞쪽에 장애물을 발견했다. 시 경찰서장과 부하가 일어서며 총을 쏘기 시작했다. 동시에 다른 사람들도 길 양쪽에서 쏘기 시작했다.

처음으로 쏜 탄환이 칼리오프가 들고 있는 총의 발사 장치를 망가뜨렸다. 그리고 그의 오른쪽 귀를 꿰뚫었다. 또 벨트 속의 탄환에 명중하여 그는 화상을 입었다. 그러자 칼리오프도 총을 쏘기 시작했다. 한 부하가 그만 동작이 굼떠 팔꿈치에 총알을 맞았다. 경찰서장은 몸을 움직이려다 상자에 뺨을 다쳤다.

칼리오프는 재빨리 상대방의 총격이 가장 덜한 곳을 골라, 그 모퉁이로 들어섰다. 거기 있던 부하와 두 시민이 몸을 숨기고 등뒤에서 그를 쏘려고 했다. 곧바로 서장과 다른 부하가 달려왔기 때문에, 칼리오프는 이 싸움을 조금이라도 더 오래 끌기 위해서는 다른 수단을 써야 한다고 생각했다. 건물 한 채가 눈에 띄었다. 거기까지 갈 수 있다면 도움이 될 것이다.

그 작은 정거장은 별로 멀지 않았다. 그 건물에는 어느 벽에나 창문이 있고, 몸을 지키는 데도 유리할 것 같았다.

칼리오프가 그쪽을 향해 달아나자, 서장의 부하들이 총을 쏘았다. 그가 무사히 거기 도착했을 때, 역의 직원은 창문을 통해 도망쳐 버렸다.

백 패터슨과 부하들은 총쏘기를 멈추고, 다음에 어떻게 할지를 의논했다. 역에는 겁없는 사나이가 있다. 그는 뛰어난 명사수로 탄환도 많이 가지고 있다. 그 건물 양쪽에는 넓고 사방이 뚫린 광장이 있다. 거기 나가는 사람은 누구나 칼리오프의 한 방에 쓰러질 것이다.

시의 경찰서장은 마음을 정하고 있었다. 칼리오프가 더 이상 퀵샌드 사람들을 괴롭히는 것을 내버려 둘 수는 없었다. 그는 이미 마음의 결정을 했다. 그 몹쓸 증기 피아노를 잠재우지 않으면 안 된다.

그들 곁에 소포를 옮기는 데 쓰는 손수레가 있었다. 서장과 부하는 큼직한 솜뭉치 세 개를 그 수레에 실었다.

백 패터슨은 몸을 지키기 위해 그 수레를 밀면서 칼리오프가 있는 건물 쪽으로 나아갔다. 두 부하는 칼리오프가 서장을 쏘려 할 경우 언제든지 반격할 준비를 하고 있었다.

칼리오프는 창에서 한 방을 쏘아 솜뭉치에 명중시켰다. 그 창을 겨냥하여 부하들이 총을 쏘았다. 그러나 어느 편도 피해가 없었다. 시장은 몸을 지키기에 여념이 없었으므로, 플랫폼 가까이 이르기까지 아침 기차가 오는 것을 모르고 있었다. 그 기차는 반대쪽에서 오고 있었다. 기차가 퀵샌드에 머무는 시간은 불과 1분이었다. 칼리오프에게는 얼마나 다행한 일이었을까! 그는 단지 다른 문으로 뛰어나가 차를 타고 떠나면 그만이었으니까. 백 패터슨은 손수레를 남겨 둔 채 총을 들고 계단을 달려 올라가서 안으로 뛰어들었다. 부하들은 안에서 한 방의 총소리가 나는 것을 들었다. 그리고는 조용해졌다.

이윽고 부상당한 사나이가 눈을 떴다. 잠시 후, 그는 다시 볼 수도, 들을 수도, 느낄 수도, 생각할 수도 있게 되었다. 주위를 휘 둘러보고야 그는 자기가 나무 벤치에 누워 있다는 것을 알았다. '시 경찰서장'이란 큼직한 기장을 단 키가 큰 남자가 난처한 얼굴을 하고 내려다보고 있었다. 검은 옷을 입은 자그마한 키의 노부인이 그의 얼굴에 젖은 손수건을 대 주고 있었다. 그가 이 사태를 깨닫고 무슨 일이 생긴 것인지 생각하려 하자, 노파가 먼저 말하기 시작했다.

"그 총알은 당신을 건드리지도 않았어요! 그저 머리 옆을 스쳐가기만 했는데, 당신은 잠시 동안 꼼짝도 못했어요! 전에도 그런 이야기를 들은 적이 있어요! 에이블 워드퀸드가 옛날에 그런 방법으로 동물을 죽인 일이 있어요. 잠깐만 있으면 괜찮아질 거예요. 좀 기분이 좋아졌죠? 내가 누군지 모를 거예요. 놀랄 건 없어요. 나는 그 기차로 아들을 만나기 위해 앨라배마에서 왔어요. 대단한 아들이잖아요? 이 사람이 내 아들이에요."

그러면서 노부인은 서 있는 사나이를 쳐다보았다.

그녀의 피곤한 얼굴에는 환한 웃음이 떠올라 있었다. 그녀는 주름진 한 손을 내밀어 아들의 손을 잡았다. 그리고 누워 있는 사나이에게 웃음을 던지고, 손수건을 적셔 다정하게 그 이마에 대 주며 말했다.

"아들하고는 벌써 8년이나 만나지 못했어요. 내 조카가, 에르카니 프라이스라고 하는데 철도국에서 일하고 있어요. 그가 나를 위해 무료로 표를 주었어요. 이 표만 있으면, 나는 일주일 동안 머무를 수 있고, 또 돌아갈 때도 사용할 수 있어요. 아홉 살 났던 아이가 마을 전체를 담당하는 경찰서장이 되다니! 나는 전혀 몰랐어요. 편지에 아무말도 쓰지 않았으니까요. 틀림없이 나이든 어머니가 위험스럽다고 걱정할까 봐 그랬을 거예요. 하지만 아니에요! 나는 한번도 걱정한 일이 없어요. 그런 걱정은 할 필요가 없었던 거예요. 기차에서 내릴 때 나는 총소리를 들었어요. 하지만 그냥 걸었어요. 아들이 창으로 내다보는 것이 눈에 띄었어요. 나는 그를 얼른 알아보았어요. 아들은 문에서 나를 맞아 두 팔로 껴안았어요. 그러자 당신이 여기 누워 있더군요. 마치 죽은 사람 같았어요. 나는 도와주고 싶었어요."

"이제 일어날 수 있을까? 기분이 좀 좋아졌으니까……."

환자가 말했다.

사나이는 겨우 벽에 기대어 앉았다. 건장한 사나이였다. 눈빛이 날카로웠다. 그는 잠자코 들여다보듯이 서 있는 사나이의 얼굴을 쳐다보았다. 그의 시선은 몇 번이나 그 사나이 얼굴에서 가슴에 있는 경찰서장의 기장으로 옮아갔다.

"네, 네, 당신은 틀림없이 좋아질 거예요. 다시 말썽을 일으켜 사람들에게 총을 맞지만 않는다면 말이에요. 아들이 당신에 대한 말을 해주었어요. 당신이 아들에게 총을 맞았다고 해서 아들을 원망하면 안돼요. 아들은 법을 대신하고 있으니까요……. 이게 그의 임무예요. 그리고 나쁜 행동을 하거나, 옳지 못하게 살면 고통을 당하는 법이에요. 그건 아들 탓이 아니에요. 아들은 언제나 착한 아이였고, 자라면서도 좋은 사람이었어요. 친절하고 순종적이고 행실이 올바른 사람이었어요. 당신도 착한 사람이 되세요. 술을 마시지 말고, 평화롭게 살아야 해요. 나쁜 사람을 가까이 하지 말고 정직하게 일하며 살아야 해요."

노부인이 말했다. 노부인의 손이 사나이에게 정답게 닿았다. 피곤해 보이는 그녀의 얼굴에는 성실성이 배어 있었다. 검정 옷에 검정 모자, 그녀는 세상의 어려움을 다 겪고 이제 긴 인생의 종착역 가까이에 와 있다. 그 너머로, 잠자코 있는 아들을 바라보고 있었다.

"경찰서장은 뭐라고 할까요? 그 충고가 훌륭하다고 생각할까요?"

그가 물었다.

키 큰 사나이는 입장이 거북한 듯, 가슴의 기장을 흘끔 내려다보고 노부인의 팔짱을 끼었다. 그녀는 환하게 웃으며 주름진 손으로 그의 큰 갈색 손을 잡았다. 이 때 그녀의 아들이 입을 열었다. 그는 여전히 상대방 사나이의 눈을 똑바로 보고 있었다.

"나는 이렇게 말하고 싶네. 만일 내가 자네라면, 술주정뱅이에다 악인이며 희망 없는 인간이라면, 어머니 말씀대로 하겠네. 만일 내가 자네 입장이고 자네가 내 입장이라면, 나는 이렇게 말할 걸세. '서장님, 제게 한 번만 기회를 주신다면 다시는 이런 일을 하지 않을 것입니다. 저는 훌륭한 시민이 되어 열심히 일할 것이고, 지금까지 해 온 어리석은 짓을 다시는 하지 않을 것입니다.' 하고 말일세."

"아들이 하는 말을 잘 들어요. 훌륭한 사람이 되겠다고 약속하면, 아들은 당신을 혼내지 않을 거예요. 아들은 41년 전 내 배에서 나온 이후로 계속 좋은 사람으로 살아왔어요."

노부인이 부드럽게 말했다.

상대편 사나이는 일어섰다.

"만일 당신이 내 입장이라면 그렇게 말하겠지만, 내가 서장이라면 나는 '자유롭게 살게. 그리고 그 약속을 지키도록 최선을 다하게.' 하고 말할 것입니다."

"어머나! 가방을 놓고 왔네. 그 가방엔 내가 직접 만든 잼이 여덟 병이나 들어 있는데."

노부인이 갑자기 생각난 듯 말하며 문 쪽으로 갔다.

그러자 칼리오프 케이츠비가 백 패터슨에게 말했다.

"그렇게 할 수밖에 없었어요, 패터슨 씨. 어머니는 내가 나쁜 일을 하리라고는 전혀 상상도 못했어요. 나 역시 내가 악당이라고 어머니한테 말하지 않았어요. 그런데 당신이 죽은 듯이 누워 있더군요. 그래서 얼른 당신의 기장을 벗겨 내 셔츠에 걸고 어머니에게 말했죠. 내가 경찰서장이고 당신이 악당이라고요. 패터슨 씨, 이제 이 기장을 돌려 드리겠소."

칼리오프는 떨리는 손으로 셔츠에서 기장을 떼었다.

"잠깐! 그 기장은 자네가 그대로 달고 있게, 칼리오프 케이츠. 자네 어머니가 이 고장에서 떠날 때까지 자네는 경찰서장이 되는 걸세. 나는 밖에 나가 누구든 자네 어머니에게 그 말을 하지 못하도록 하겠네. 자네는 어머니가 내게 해 주신 충고를 잘 지켜야 하네! 나 자신도 그 충고를 지킬 생각일세."

백 패터슨이 말했다.

"서장! 만일 내가 두 번 다시……."

칼리오프가 나지막한 목소리로 말했다.

"조용히 해. 어머니가 들어오고 계시네."

백 패터슨이 말했다.

인생은 연극이다

얼마 전, 신문 기자인 친구에게서 지금 한창 인기를 모으고 있는 어떤 연극의 무료 초대권을 얻어 함께 소극장에 갔다.

작품 중 바이올린 독주가 있었다. 연주자는 아직 마흔을 채 넘지 않았는데, 풍성한 머리가 하얗게 센 딱딱한 얼굴의 남자였다. 나는 음악 따위에 별로 매혹되어 있지 않았으므로, 소리의 구성 등에는 도무지 관심이 없고 그저 연주자의 얼굴만 바라보고 있었다.

"실은 한두 달 전에 저 사람이 화제의 인물이 된 적이 있지. 내가 바로 그 사건을 담당하게 되었는데, 가벼운 흥미 본위의 읽을거리로 만들어서 실을 예정이었지. 편집장은 내가 가끔씩 쓰는 삼면 기사의 재미있는 문장이 마음에 드는 모양이야. 요즘도 코미디 같은 읽을거리를 하나 쓰고 있는 중이긴 해……. 아무튼 나는 분장실에 들어가서 여러 가지 소재를 모았지. 그렇지만 그게 아무래도 잘 정리가 되지 않는단 말이야. 신문사에 돌아가서 써 보았더니, 마치 빈민가의 장례식 기사를 희극으로 만든 것 같은 얘기가 돼 버렸어. 왜냐고? 재미있는 문장에만 익숙해져 있는 내 펜으로는 잘 표현이 안 되었다고나 할까? 자네라면 그것을 소재로 해서 1막짜리 비극을 쓸 수 있을 거야. 나중에 내 자세히 얘기해 주지."

친구는 연극이 끝난 뒤 포도주를 마시면서 그 이야기를 내게 들려주었다.

나는 그가 이야기를 다 끝냈을 때 말했다.

"어째서 그게 무심결에 웃음이 터져 나오는 재미있고 유쾌한 읽을거리가 되지 않을까? 만일 그 세 사람이 실제로 무대에서 연극을 하는 배우였더라도, 그렇게 기묘하고 어이없는 연기는 할 수 없을 것 같은데. 아니, 솔직히 말하자면 무대란 하나의 사회고, 거기에 나오는 배우들도 이 세상에서 흔히 볼 수 있는 남녀에 지나지 않는다고 생각해. 위대한 셰익스피어의 말을 빌린다면, 인생은 연극이라고 말하고싶네."

"그렇다면 자네가 한번 써 보지 않겠나?"

신문 기자가 권했다.

"좋아, 해 보지."

나는 고개를 끄덕였다.

그리하여 어떻게 하면 신문의 삼면 기사로 적당한 재미있는 읽을거리가 될 수 있나 하는 것을 본보기로 보여 주기 위해서 쓴 것이 다음과 같은 이야기이다.

어빙든 광장 가까이에 건물 하나가 있다. 그 아래층에는 25년 동안 장난감과 잡화와 문구류 등을 팔아 온 조그만 가게가 있다.

20년 전의 어느 날 밤, 그 가게 이층에서 결혼식이 거행되었다. 그가게와 건물은 메이요라는 미망인의 것이었다. 그런데 이 미망인의 딸헬렌이 프랭크 배리라는 청년과 결혼식을 올린 것이다. 들러리는 존 델러너라는 청년이었다.

헬렌은 열여덟 살이었는데, 이미 어느 아침 신문에 몬트리올 배트 구의 '여자 살인광'이라는 큼직한 표제 활자 바로 옆에 그 사진이 실린

적이 있었다. 그러나 독자가 눈과 머리를 써서 이 둘의 연관성을 부인하고, 재빠르게 확대경을 집어들어 사진 아래를 보았다면, 그것이 '번화가 미인 특집'이라는 연재물의 하나였다는 것을 알았을 것이다.

프랭크 배리와 존 델러니는 같은 동네에 살았으며, 이 번화가에서 제일가는 미남들인데다 둘도 없이 친한 친구였다. 막이 오를 때마다 싸움 장면을 기대하고 싶어질 만큼 의좋은 친구였다. 오케스트라의 좌석이나 소설책에 돈을 쓰는 사람은 모두 그런 장면을 기대하는 법이니까.

사실 이 이야기도 그런 어이없는 발상에서 시작된다. 다시 말해서, 두 사람은 헬렌을 차지하기 위해 맹렬한 경쟁을 벌였던 것이다. 그리하여 프랭크가 승리를 거두자, 존은 남자답게 악수하고 그를 축복했다. 진심으로 축복했던 것이다.

식이 끝나자, 헬렌은 모자를 가지러 삼층으로 달려 올라갔다. 그녀는 여행용 드레스를 입은 채 결혼식에 나갔었다. 그녀와 프랭크는 지금부터 한 주일 동안 올드 포인트 콤퍼트 해안으로 신혼 여행을 떠날 참이었다. 아래층에서는 떠들기 좋아하는 그 건물 주민들이, 손에 헌 구두며 옥수수가루 봉지를 들고 대기하고 있었다.

그 때 드르륵 소리도 요란스레 비상용 승강구가 열리더니, 반미치광이 상태가 된 존 델러니가 머리를 헝클어뜨린 채 그녀의 방으로 뛰어들어왔다. 그리고는 이제는 친구의 아내가 되어 버린 여인에게 거칠게 사랑을 고백하며, 자기와 함께 리비에라나 브롱크스나 아니면 '하늘'과 '달콤한 꿈'이 있는 이탈리아의 어느 옛 도시로 달아나든지 사라지든지 하자고 애걸했다.

이것을 거절하는 헬렌의 단호한 태도를 보았더라면, 아무리 희극물을 잘 쓰는 브레이니 씨라도 벌렁 나자빠져서 까무라쳐 버렸을 것이다. 그녀는 커다랗게 뜬 눈에 경멸의 빛을 담은 채, 정숙한 숙녀에게 그런 말을 하다니 무슨 짓이냐고 심하게 꾸짖어 그의 기를 꺾었다. 이어 그녀는 남자에게 나가라고 단호히 외쳤다.

평소의 사내다움도 잃은 채 그는 고개를 푹 숙이더니, '나도 모르게 감상에 사로잡혀서' 그랬고, '당신의 모습은 평생 내 가슴에서 지워지지 않을 것'이라는 말을 했다.

그녀는 여기서 떠나라는 듯 말없이 비상구를 가리켰을 뿐이다.

"나는 지구 저 끝으로 가겠소. 당신이 다른 남자의 아내라는 것을 알면서 도저히 가까이 머물 수는 없소. 나는 아프리카로 가겠소. 그리고 낯선 땅에 살면서, 어떻게든……."

델러니가 말했다.

"제발 어서 나가요. 누가 오잖아요."

남자는 한쪽 무릎을 꿇었다. 헬렌은 그에게 작별의 입맞춤을 허락하기 위해 하얀 손을 내밀었다.

그 때, 별안간 방문이 확 열렸다. 신부가 모자 끈을 매는 데 너무 시간이 걸려서 이상하게 생각한 신랑이 방으로 뛰어들어온 것이다.

헬렌의 손에 작별의 입맞춤을 한 존 델러니는 창문으로 해서 비상구로 뛰어나가는 중이었다.

프랭크는 흥분하여 창백한 얼굴로 무엇인가 외치기 시작했다. 헬렌은 그에게 매달려 상황을 설명하려고 안간힘을 썼다. 그는 그녀의 팔목을 움켜쥐어 자기 어깨에서 떼어 내고는 한 번, 두 번, 세 번, 그녀를 이리 밀어 내고 저리 밀어 던지고……. 어떻게 했는지 상세한 것은 무대 감독에게 물어 주기 바란다.

마침내 그녀는 매몰차게 떠밀려서 방바닥에 쓰러져 몸부림치며 흐느꼈다.

그는 이제 두 번 다시 당신 얼굴을 보고 싶지 않다고 고함을 치고 달려나가서, 눈이 휘둥그레진 손님들을 헤치고 집 밖으로 뛰쳐나갔다.

그런데 이것은 연극이 아니라 실제로 있었던 일이므로, 다음 막이 오를 때까지의 20년 동안에는 관객들의 신상에도 결혼을 했거나 죽었거나 머리가 하얗게 세었거나 부자가 되었거나 가난해졌거나 행복하게 되었거나 하는 온갖 사건들이 일어나야 할 것이다.

배리 부인은 그 건물과 가게를 상속받았다. 서른여덟 살이 되었지만, 지금도 미인 대회에 나가면 열여덟 살 먹은 처녀들을 상대로도 최고의 왕관을 받을 것이 틀림없다고 여겨질 정도였다. 그녀의 결혼식의 희극을 기억하는 사람은 거의 없었지만, 그녀는 결코 그것을 숨기려 하지 않았다. 장뇌나 나프탈린 속에 간직해 두려고도 하지 않는 대신, 그것을 잡지 따위에 팔아먹지도 않았다.

어느 날, 돈 잘 버는 중년의 변호사가 그녀의 가게에 법률 용지와 잉크를 사러 와서, 카운터 너머로 그녀에게 결혼해 달라고 애원했다.

"저, 굉장히 기쁘게 생각해요. 고마워요. 하지만 전 20년 전에 어떤 사람과 결혼한 몸이에요. 그이는 남자답기보다 오히려 바보 같은 사람이라고 말하는 편이 나은 그런 사람입니다만, 저는 아직도 그이를 몹시 사랑하고 있는 것 같아요. 하기야 그이와 함께 했던 시간은 결혼식이 끝난 뒤 불과 30분 정도밖에 안 되지만요. 저, 필요하신 잉크는 복사용 잉크예요, 아니면 필기용 잉크예요?"

변호사는 기사도의 예법에 따라 카운터 너머의 헬렌에게 머리를 숙여 손등에 정중히 입을 맞추고 나갔다. 헬렌은 깊은 한숨을 쉬었다. 작별의 입맞춤은 아무리 낭만적이라도 다소 야단스러운 몸짓이 더 나은 것 같다. 지금 그녀는 서른여덟 살이지만, 아직도 충분히 아름답고 누구에게나 존경을 받고 있었다. 그런데 그녀가 청혼자한테서 받는 것은 언제나 비난이 아니면 작별의 말뿐이었다. 더 나쁜 것은, 이 마지막 청혼의 경우는 단골 손님까지 하나 잃게 되는 셈이었다.

장사가 제대로 되지 않아 헬렌은 방을 세놓는다는 쪽지를 써서 집 앞에 매달았다. 삼층의 널찍한 방 두 칸이 세들 사람을 위해서 치워졌다.

세들겠다는 사람들이 연달아 찾아와서는 아쉬운 듯이 떠나갔다. 배리 부인의 집은 깨끗이 정돈되어 쾌적했으며, 고상한 취미의 주거지였기 때문이다.

어느 날, 바이올린을 켜는 래먼티라는 남자가 삼층의 앞방을 계약했다. 시끄러운 주택가는 이 음악가의 섬세한 귀에는 참을 수 없는 것이었으므로, 친구가 소음의 사막에 있는 이 조용한 오아시스로 그를 보냈던 것이다.

래먼티는 아직도 젊은 얼굴과, 그 짙은 눈썹, 끝이 뾰족한 이국적 턱수염, 개성 있는 회색 머리카락, 밝고 쾌활하고 부드러운 태도로 대표되는 전형적인 예술가 기질로 이 어빙든 광장 옆에 있는 옛 집으로서는 환영할 만한 사람이었다.

헬렌은 가게 이층에 살고 있었다. 이 집의 구조는 좀 색달랐다. 홀이 크고 거의 정사각형이었다. 그 한 변 끝을 가로질러 삼층으로 통하는 층계가 있었다. 이 홀을 거실 겸 사무실로 쓰기 위해서 그녀는 적당한 세간들을 갖다 놓았다. 책상을 갖다 놓고 장사에 필요한 편지를 썼으며, 밤에는 훈훈한 난로 앞에 앉아 밝은 등불 밑에서 뜨개질을 하고 책을 읽었다. 래먼티는 이 방의 분위기가 마음에 들어 많은 시간을 여기서 보냈다. 그러면서 자기가 배운 어느 유명하고 상당히 까다로운 바이올리니스트와 함께 했던 파리의 멋진 생활에 대해 배리 부인에게 들려주곤 했다.

그 다음에 두 번째로 방을 얻어 든 사람은 사십대에 들어선 우울한

표정의 미남이었다. 신비로운 갈색 턱수염을 기르고, 묘하게 호소하는 듯한 텅 빈 눈을 가진 사람이었다. 그도 헬렌의 사교장을 좋아하게 되었다. 그는 먼 나라 이야기를 들려주어 헬렌을 황홀하게 만들기도 하고, 품위 있고 은근한 표현으로 그녀의 속마음을 떠보곤 했다.

헬렌은 처음 만났을 때부터 그 남자 앞에 있으면 이상하게 끌리는 것을 느꼈다. 그의 목소리는 그녀를 낭만적인 청춘 시절로 끌어다 주었다. 그 감정은 차츰 발전하여, 그녀는 점점 그 속으로 빠져들어갔다.

그리하여 그 감정은 그가 그녀의 젊은 날 로맨스 속의 주요 인물 가운데 하나였다는 본능적인 확신으로 그녀를 이끌어 갔다. 마침내 그녀는 여성 특유의 육감에 의해서 남편이 돌아왔다고 생각했다. 왜냐하면 그녀는 그의 눈동자 속에서 여자라면 결코 잘못 볼 수 없는 사랑의 표적과 무서운 회한과 슬픔을 보았던 것이다.

그러나 그녀는 그런 기색을 전혀 보이지 않았다. 20년 동안 쏘다니다가 홀연히 돌아온 남편이 언제나 신을 수 있도록 슬리퍼가 가지런히 놓여 있다든가, 언제라도 담배에 불을 붙일 수 있도록 성냥이 준비되어 있을 것을 기대할 수는 없을 것이다. 그 전에 죄를 뉘우치는 설명이나 해명쯤은 있어야 마땅하고, 이쪽에서도 넋두리를 늘어놓을 만하잖은가.

그래서 그녀는 남편이라고 짐작하고 있거나 느끼고 있다는 것을 손톱만큼도 내색하지 않았다.

내 친구인 신문 기자는 이 이야기 속에서 우스꽝스러운 면을 전혀 발견할 수 없었다고 말한다. 어이없고 우스꽝스러운 이야기를 만들라는 지시를 받았으면서 그 재미를 모르겠다니……. 아니, 나는 친구를 헐뜯을 생각은 없다. 이야기를 더 진행시켜 나가기로 하자.

어느 날 밤, 래먼티는 헬렌의 거실 겸 사무실에 들어와서 예술가의 부드러움과 열정으로 사랑을 고백했다.

"부인의 대답을 듣기 전에, 한 가지 말씀드려 두어야 할 일이 있습니다."

래먼티는 헬렌이 무엇이라 나무랄 겨를도 주지 않고 말을 이었다.

"래먼티라는 것은, 부인 앞에서 말할 수 있는 저의 유일한 이름입니다. 저의 매니저가 지어 준 이름이지요. 저는 자신이 어떤 사람인지, 어디 출신인지 전혀 모르고 있습니다. 어느 날 병원에서 눈을 떴을 때가 저의 첫 기억입니다. 저는 그 때 청년이었습니다. 그 후 몇 주일 동안 그 병원에 입원해 있었습니다. 그 전의 생활은 깨끗한 공백입니다. 다른 사람들한테서 들은 얘기로는, 머리에 상처를 입고 길바닥에 쓰러져 있다가 발견되어 구급차로 병원에 실려 갔답니다. 쓰러질 때 보도에 머리를 부딪친 것 같다는 얘기더군요. 저의 신원을 밝힐 만한 것이 아무것도 없고, 과거에 관한 것은 무엇 하나 기억에 남아 있지 않습니다. 병원에서 나온 뒤, 저는 바이올린을 배우게 되었지요. 그리고 바이올리니스트로서 성공했습니다. 배리 부인, 저는 부인을 사랑합니다. 처음 만났을 때, 부인이야말로 제가 평생 찾고 있던 이 세상의 유일한 여성이라는 것을 깨달았습니다. 그리고……."

이런 종류의 사랑 고백이 오래오래 계속되었다.

헬렌은 다시 젊음을 느꼈다. 그녀는 래먼티의 눈을 보았다. 그러자 무서운 고동이 심장을 꿰뚫고 지나갔다. 이 고동은 그녀가 전혀 예기치 않던 것이었다. 그녀는 소스라치게 놀랐다. 이 음악가가 이미 그녀의 인생에 커다란 의미가 되어 있다는 것을 처음으로 깨달은 것이다.

"래먼티 씨, 정말 미안합니다만, 저는 결혼한 여자예요."

그녀는 슬픈 듯이 말했다.(잊어버리지 않도록 말해 두지만, 여기는 무대가 아니라 어빙든 광장에 가까운 낡은 옛 집의 거실이다.) 그리고 헬렌은 희극의 여주인공이 머지않아 그렇게 하지 않을 수 없듯이, 자기의 슬픈 과거를 털어놓았다.

래먼티는 그녀의 손을 쥔 채 몸을 굽혀 입을 맞추고 위층의 자기 방으로 물러갔다.

헬렌은 의자에 깊숙이 앉아 슬픈 듯이 자기 손을 들여다보았다. 그것도 무리는 아니다. 세 사람의 청혼자가 모두 이 손에 입을 맞추고는 적토마를 타고 사라져 버렸으니 말이다.

한 시간쯤 지났을 때, 그 텅 빈 눈동자의 신비롭고 출신이 분명치 않은 남자가 들어왔다. 그 때 헬렌은 흔들거리는 등의자에 앉아 털실로 어디에 쓸지 모르는 것을 뜨고 있었다.

그는 층계를 내려와서 이야기하기 위해 걸음을 멈추었다. 테이블을 사이에 두고 마주 앉더니, 그도 느닷없이 사랑의 말을 쏟아놓았다.

"헬렌, 당신은 나를 기억하지 못하오? 지난 일은 다 잊어버리고, 20년 동안이나 간직해 온 내 사랑을 생각해 주지 않겠소? 나는 당신에게 매우 미안한 짓을 해 버렸소. 당신 곁으로 돌아오기가 두려웠소. 하지만 내 이성은 사랑에 지고 말았소. 나를 용서해 줄 수는 없소?"

헬렌은 일어섰다. 신비로운 사나이는 그녀의 한 손을 잡고, 떨면서 꽉 잡았다. 그녀는 꼼짝도 하지 않고 서 있었다. 이런 멋있는 장면을, 그리고 그녀의 마음의 동요를 아무도 무대에서 표현할 수 없었다는 것은 참으로 유감스런 일이다.

사실 그녀의 마음은 둘로 갈라져 있었다.

남편에 대한, 처음에 선택한 남자에 대한 깨끗하고 곱고 귀하게 간직된 추억은 그녀의 마음의 반을 채우고 있었다. 그녀는 그 순수한 감정으로 기울어져 갔다. 존경과 정절과 언제나 사라지지 않는 달콤한 로맨스가 그녀를 거기에 묶어 놓았다.

그러나 그녀의 마음과 영혼의 나머지 절반은 다른 것으로 채워져 있었다. 현재의 더욱 충실하고 더욱 친근한 정열로 차 있었던 것이다. 이리하여 헌 것과 새 것이 그녀의 마음 속에서 경쟁했다.

그녀가 망설이고 있는데, 위층 방에서 부드럽고 가슴을 죄는 듯하고 애원하는 듯한 바이올린 소리가 흘러나왔다. 음악이라는 마녀는 왕자의 마음도 움직이는 법이다. 심장이 소매 위에 나와 있는 사람이라면 까마귀가 쪼아 봐야 아프지도 가렵지도 않겠지만, 심장이 고막에 있는 사람에게는 음악이 아주 훌륭한 효과를 갖는 법이다.

그 음악과 음악가가 그녀를 불렀다. 동시에 정절과 옛 사랑이 그녀를 붙잡았다.

"나를 용서해 주오."

그는 애원했다.

"당신이 사랑한다고 하시는 그 사람과 떨어져 살기에는 20년이란 세월이 너무 길지 않았나요?"

그녀는 원망스러운 듯이 말했다.

"어떻게 설명하면 좋을까? 그래, 모든 것을 다 털어놓겠소. 그날 밤, 그 사람이 여기에서 뛰쳐나갔을 때 나는 그 뒤를 따라 달렸소. 나는 질투 때문에 미쳐 있었던 거요. 어두운 거리에서 나는 그를 후려쳤소. 그는 쓰러진 채 일어나지 않았소. 자세히 보니, 돌에 머리가 부딪쳤던 것이오. 그를 죽일 생각까지는 없었소. 다만 사랑과 질투로 미쳤을 뿐이었소. 나는 근처에 숨어서 그가 앰뷸런스에 실려 가는 것을 보았소. 헬렌, 물론 당신은 그와 결혼했었소. 하지만……."

"아니! 당신은 대체 누구세요?"

그녀는 눈을 커다랗게 뜨고 그의 손을 뿌리치며 소리쳤다.

"나를 기억하지 못하겠소? 헬렌! 언제나 당신을 가장 깊이 사랑해 온 나를? 존 델러니오. 만일 당신이 용서해 준다면, 나는……."

그러나 그녀는 이미 그 자리에 없었다. 달리며 넘어지며 뛰면서 층계를 올라간 그녀는, 이미 그녀를 기억에서 잃어버렸지만 두 번째 인생에서 그녀를 유일한 여성으로 알고 있는 사나이 앞으로 갔다. 달려가면서 그녀는 흐느끼며, 외치며, 노래하듯 불러 댔다.

　"프랭크! 오오, 프랭크! 나의 프랭크!"

　이와 같이 세 개의 영혼은 세 개의 당구공처럼 세월에 희롱당하고 있었던 것이다. 내 친구인 신문 기자가, 이 속에서 조금도 우스꽝스러움을 발견하지 못한다는 것은 대체 무슨 의미일까?

시 계 추

"81번가입니다!"

양 떼 같은 시민들이 기어 나가고 다른 한 떼가 기어올랐다. 땡땡! 맨
해튼 고가 철도는 삐걱거리며 떠나가고, 존 파킨스는 내리는 무리에 밀
려 정류소 층계를 내려왔다.

존은 그의 아파트를 향해 천천히 걸었다. 언제나처럼 천천히……. 왜
냐하면 그의 생활 사전에는 '혹시'라는 단어는 없기 때문이다. 결혼 생
활 2년, 그것도 아파트 생활을 하는 사람에게는 집에 간다고 어떤 뜻밖
의 일이 기다리고 있지는 않은 것이다. 존 파킨스는 걸으면서 우울하고
답답한 기분으로 이 단조로운 하루의 결말, 그것도 이미 다 정해져 있
는, 그 결말을 속으로 예상해 보았다.

케이티는 문에서 기다리다가 콜드 크림과 버터과자 냄새가 섞인 키스
를 해 주리라. 그는 코트를 벗고 자갈 깔린 라운지에 앉아 석간 신문에
서 악착 같은 활자들에 의해 러시아 인과 일본인들이 전사하는 것을 보
리라. 저녁 식사로는 냄비에 볶은 고기와 피부가 갈라지거나 상하지 않
도록 만들어진 양념을 친 샐러드, 그리고 화학적으로 순수함을 보증한
다고 적힌 상표를 보고 제 편에서 부끄러워 빨개진 딸기 잼 한 병이 식
탁에 오르리라.

저녁 식사가 끝나면, 케이티는 얼음 장수가 자기 넥타이를 잘라서 준

천으로 기운, 그 진저리나는 이불보의 새로 기운 자리를 보여 주리라. 일곱 시 반에는 그들 부부는 가구들 위에 신문지를 덮어야 하리라. 위층에 있는 뚱뚱보가 기계 체조를 시작하면 떨어지는 회부스러기를 받기 위해서……

그리고 여덟 시 반이 되면, 존은 용기를 내어 모자를 집어 들 것이다. 그러면 아내는 바가지 긁는 어조로 다음과 같이 말하리라.

"어디 가는 거예요, 존?"

그는 대답하리라.

"맥클로스키에 가는 거야. 친구들과 당구나 한두 게임 치고 오려고."

근래에 와서 그것이 그의 습관이 되어 버렸다. 열 시나 열한 시에 그는 돌아오리라. 어떤 때는 케이티가 잠이 들어 있으리라. 그러나 어떤 때는 울화의 도가니를 준비한 채 기다리고 있으리라.

　그러나 오늘 저녁 아파트 문을 열었을 때, 그는 자기의 평범한 생활에 급격한 변화가 닥쳐온 것을 알았다. 케이티가 사랑스럽고 달콤한 키스로 기다리고 있지 않은 것이었다. 그리고 방은 형편없이 흐트러진 채여기저기 케이티의 물건이 널려 있었다. 구두는 마루 한가운데, 머리를 마는 클립과 큰 머리빗, 화장할 때 입는 옷, 그리고 분곽은 화장대와 의자 위에 뒹굴고 있었다.

　케이티가 이럴 수는 없는 것이다. 존은 갈색 머리카락이 빗살 사이에 남아 있는 케이티의 빗을 보자 가슴이 덜컥했다. 어떤 황급한 일이 그녀에게 일어났음에 틀림없다. 그녀는 빗살에 끼는 머리카락을 언제나 벽난로 선반 위에 있는 푸른 병에 담아 두곤 했던 것이다. 언젠가는 그것이 탐스럽고 조그만 '쥐'가 된다는 말을 믿으며.

　가스 밸브에 접은 종이 한 장이 눈에 띄게 매달려 있었다. 존은 그것을 잡아 떼었다. 그것은 케이티가 쓴 쪽지였다.

존

지금 어머니가 위독하다는 전보를 받았어요. 네 시 반 기차를 타야겠어요. 샘 오빠가 그 곳 정거장에서 기다리기로 했거든요. 참, 냉장고에는 얼린 양고기가 있어요. 그리고 우유 배달부한테 50센트 지불하세요.

어머니 병이 편도선염이 재발한 게 아니면 좋겠는데……. 어머니는 지난 봄에 편도선염을 앓으셨거든요.

잊지 말고 계량기에 대해 가스 회사에 편지하세요. 맨 위 서랍에 새 양말이 있어요. 도착하는 대로 편지할게요.

케이티

결혼 생활 2년 동안 그와 케이티는 하룻밤도 헤어져 잔 적이 없었다. 존은 어리둥절한 채 몇 번이고 편지를 읽어 보았다. 한 번도 변하지 않았던 생활이 이제 변한 것이다. 그는 아찔했다. 한 의자 등에는 아내가 식사를 할 때 언제나 입곤 하던 검은 점이 박힌 붉은 겉옷이 측은하리만큼 허전하고 모양 없이 걸려 있었다.

그녀는 서두른 게 분명했다. 보통때 입는 옷들이 여기저기 널려 있었다. 그녀가 좋아하는 버터 과자 봉지가 끈이 풀린 채 뒹굴고 있었다. 기차 시간표를 오려 내어 기분 나쁘게 구멍 뚫린 일간 신문이 마룻바닥에 떨어져 있었다. 방 안에 있는 모든 것은 무엇인가 없어진 것을, 없어서는 안 될 어떤 것이 없어진 것을, 어떤 중심이 되는 생명이 떠나 버린 것을 이야기하고 있었다. 존 파킨스는 그의 가슴 속이 갑자기 삭막해지는 이상한 기분을 느끼며 어지럽게 흩어진 물건들 사이에 서 있었다.

이윽고 그는 방 안을 치우기 시작했다. 그녀의 옷에 손을 대자, 오싹 소름이 끼쳤다. 그는 케이티가 없으면 어떻게 살까 하는 생각을 해 본 적이 없었다. 그녀는 그의 생활 속에 완전히 녹아 있었기 때문에, 그에게는 마치 숨쉬는 공기와 같았다. 없어서는 안 되지만 거의 의식할 수 없는……. 그런데 예고도 없이 그녀가 사라져 버린 것이다. 처음부터 있지도 않았던 것처럼 완전히. 물론 며칠 동안만 집을 비울 것이다. 기껏해야 한두 주일일 것이다. 그러나 그에겐 마치 죽음의 손이 그의 안전하고 평화로운 가정에 손짓을 한 것 같은 느낌이 들었다.

존은 냉장고에서 차가운 양고기를 끄집어 내고, 커피를 끓였다.

그리고 딸기 잼과 마주 앉아 외로운 저녁 식사를 시작했다. 사라져 버린 행복 가운데서 냄비의 고기와 피부를 상하지 않게 하는 양념을 친 샐러드가 환하게 떠올랐다. 그의 가정은 무방비 상태가 되었다. 편도선염을 앓는 장모는 그의 가정의 단란함을 녹초로 만든 것이다.

외로운 식사를 마친 후, 존은 창가에 가서 앉았다. 담배 피울 생각도 없었다. 밖에서는 거리가 그에게 댄스와 장난과 쾌락에 한몫 끼라고 소리치고 있었다. 새벽까지 마시고 방황해도 뭐라고 할 사람이 아무도 없었다. 그가 원한다면, 먼동이 터 전깃불이 희미해질 때까지 친구 녀석들과 맥클로스키에서 당구 게임을 즐길 수도 있다.

존 파킨스는 자신의 감정을 분석하는 데 익숙하지 못했다. 그러나 케이티가 없는 거실에 앉아 있을 때 불안하다는 것을 어쩔 수 없이 깨닫고 말았다. 지금 그는 케이티가 그의 행복에 없어서는 안 될 존재라는 것을 깨달았다. 매일 함께 살아가는 동안에 잊혀졌던 그녀에 대한 생각이 그녀가 사라지자 맹렬히 되살아왔다. 속담이나 설교나 우화가 귀에 못이 박히도록 일러 주지 않았던가? 새가 날아간 뒤라야 그 새의 아름다운 소리를 칭찬하게 된다고. 아내의 곱고 진실된 목소리도 그랬다.

존 파킨스는 생각했다.

'케이티를 그렇게 대우하다니, 나는 낯가죽 두꺼운 바보임에 틀림없다. 나는 매일 밤 당구나 치러 가서 친구 녀석들하고 놀았지. 집에서 케이티와 함께 있었던 적이 없었어. 내가 재미있게 노는 동안 불쌍한 케이티는 혼자 외로이 있었을 것 아닌가! 존 파킨스여, 너는 겉만 번드레한 녀석들 중에서도 가장 악당이다. 이제 케이티에게 잘못을 보상해야 되겠다. 앞으로는 케이티를 데리고 나가 같이 즐겨야겠다. 바로 이 시각부터 맥클로스키 일당과는 인연을 끊을 테다.'

그렇다, 밖에서는 도시가 존 파킨스더러 지껄이고 떠드는 군중 속에 들어와 춤을 추라고 소리치고 있었다. 그리고 맥클로스키에선 친구 녀석들이 그날 밤 게임을 할 때를 기다리며 천천히 공들을 당구 포켓에 맞춰 넣고 있는 것이다. 그러나 어떤 환락의 길도, 잘 들어맞는 당구의 큐도 홀로 남아 후회에 잠겨 있는 파킨스의 영혼을 유혹할 수는 없었다. 자기 것이었던 것, 가볍게 취급하고 반쯤은 경멸했던 것, 그것이 사라지자 그는 그것만을 바라고 있었다.

존 파킨스의 오른손 가까이 의자가 하나 있었다. 의자 등에는 케이티의 푸른 블라우스가 걸려 있었다. 그것은 그녀의 윤곽을 어느 정도 흩뜨리지 않은 채 놓여 있었다. 소매의 가운데쯤에는 그를 편안하게 하고 즐겁게 만들어 주기 위해 일하는 동안 생긴 아름답고 독특한 주름이 잡혀 있었다. 거기서는 약하지만 확실히 방울꽃의 향내가 풍겼다. 존은 그것을 집었다. 그리곤 그 반응 없는 인조견으로 만든 블라우스를 한참 동안 들여다보았다. 눈물이——그렇다, 눈물이——존 파킨스의 눈에 맺혔다. 그녀가 돌아올 땐 모든 것이 달라지리라.

여태까지 잘못했던 것을 다 갚으리라. 그녀가 없다면 인생이 대체 무슨 의미를 가지겠는가.

문이 열렸다. 조그만 손가방을 들고 케이티가 들어왔다. 존은 멍하니 그녀를 쳐다보았다.

"이런! 돌아오길 잘했네요. 어머니 병세는 그렇게 걱정할 게 아니었어요. 샘 오빠가 정거장에 나와서 하는 말이, 어머니가 잠시 정신을 잃었었는데 전보를 치고 나니 곧 정신을 차리셨다나요. 그래서 다음 차를 타고 돌아왔죠. 커피 한 잔 마셔야겠어요."

케이티가 말했다.

아무도 프로그모어 아파트의 삼층 건물이 다시 일상 생활의 질서라는 기계를 돌릴 때 나는, 톱니바퀴들이 삐걱거리는 소리를 듣지 못했다. 이윽고 톱니바퀴는 전과 다름없는 궤도를 돌기 시작했다.

존 파킨스는 시계를 보았다. 여덟 시 십오 분. 그는 모자를 집어 들고 문 쪽으로 갔다.

"여보, 어디 가는 거예요?"

케이티가 바가지 긁는 소리로 물었다.

"맥클로스키로 가는 거야. 친구들하고 당구 한두 게임 치러."

존이 말했다.

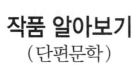

작품 알아보기
(단편문학)

〈마지막 잎새〉에서 폐렴에 걸린 존시는, 창문 밖으로 보이는 담쟁이덩굴의 마지막 잎이 떨어지면 자기도 죽을 것이라 생각한다. 늙은 화가 베르만 씨는 존시를 살리기 위해 비바람 속에서 담쟁이덩굴에 '마지막 잎새'를 그려 붙이고, 자신은 폐렴으로 죽는다. 베르만 씨의 희생을 통해 고귀한 사랑을 느낄 수 있고, 생명의 소중함을 깨닫게 해 주는 작품이다.

〈크리스마스 선물〉에서 아내는 머리카락을 팔아 남편에게 줄 시곗줄을 사고, 남편은 시계를 팔아 아내에게 줄 머리핀을 산다. 자신에게 가장 소중한 것을 팔아서 장만한 이 선물들은 어이없게도 쓸모없게 되고 말았지만, 사랑하는 마음을 전하기에는 충분했다.

가난한 연인들의 가슴 찡한 이 이야기는 가치 있는 선물이 무엇이고, 진정한 사랑이 무엇인지를 일깨워 준다.

〈20년 후〉에서 젊은 시절 절친한 친구였던 지미와 봅은 20년 후 한 장소에서 만나기로 한다. 두 사람은 약속 장소에 나갔으나, 봅은 수배자, 지미는 경찰관이 되어 있었다. 지미는 고민 끝에 결국 다른 경찰관에게 친구를 체포할 것을 부탁한다. 두 사나이의 비극적 만남이 우리의 마음을 안타깝게 한다.

논술 길잡이
(단편문학)

❶ 아래 그림은 〈물레방아가 있는 교회〉의 한 장면을 나타낸 것 이다. 〈물레방아가 있는 교회〉의 줄거리를 생각해 보고, 그 림의 내용을 설명해 보자.

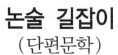

논술 길잡이
(단편문학)

❷ 다음은 〈봄철에 생긴 일〉의 한 부분이다. 이 글에서는 프라이팬, 소시지, 메밀 등의 사물을 의인화하여 재미있게 나타내고 있다. '내 방'의 모습을 관찰해 보고, 사물을 의인화하여 자유롭게 상상해서 써 보자.

> 굴에 대한 찬미는 완전히 사라진 것은 아니었으나, 차츰 기세가 꺾여 가고 있었다. 프라이팬은 고기 굽는 기계의 기묘한 막대기 뒤에 걸린 채 할 일이 없어진 것 같았다. 파이로 된 요리가 늘고 기름이 많은 푸딩은 자취를 감추었다. 옷을 갈아입은 소시지는 메밀과 사형 선고를 받은 달콤한 당밀과 함께 기분 좋은 죽음의 명상에 잠긴 채 가까스로 목숨을 잇고 있었다.

논술 길잡이
(단편문학)

❸ 아래 그림은 〈마지막 잎새〉의 마지막 장면이다. 존시가 수로
부터 '마지막 잎새와 베르만 씨'의 이야기를 전해들었을 때
의 심정을 상상하여 써 보자.

....

....

....

....

....

논술 길잡이
(단편문학)

❹ 〈크리스마스 선물〉의 내용을 떠올려 본 다음, 예전에 받았던 선물 중에서 어떤 선물이 오래도록 기억되고, 가치가 있는 선물인지 생각해 보고, 그것을 써 보자.

....

....

....

....

❺ 지금까지 읽은 오 헨리의 단편 소설들의 내용을 생각해 보고, 그의 작품에서 나타나는 독특한 특징을 정리해서 적어 보자.

....

....

....

....

논·술·세·계·대·표·문·학 〈전60권〉

펴 낸 이	정재상
펴 낸 곳	훈민출판사
주 소	경기도 고양시 덕양구 원당동 416번지
대 표 전 화	(031)962-3888
팩 스	(031)962-9998
출 판 등 록	제395-2003-000042호